Graded Spanish Readers

BOOKS ONE TO FIVE

PREPARED BY
CARLOS CASTILLO
AND
COLLEY F. SPARKMAN

GENERAL EDITORS
OTTO F. BOND AND CARLOS CASTILLO

D. C. HEATH AND COMPANY
BOSTON

De todo un poco

A GRADED SPANISH READER

INTRODUCING 388 BASIC WORDS AND
35 IDIOMATIC EXPRESSIONS
OF HIGH FREQUENCY

By

CARLOS CASTILLO
The University of Chicago

AND

COLLEY F. SPARKMAN
Belhaven College

BOOK ONE

D. C. HEATH AND COMPANY
BOSTON

TO THE TEACHER

The aim of the authors of this first reader has been: (a) to introduce the most common words in Spanish; (b) to limit the number of new words to the page to a reasonable minimum; (c) to repeat each new word three or four times; (d) to write always in simple but idiomatic Spanish; (e) to be as coherent and interesting as the foregoing limitations permit.

The booklet is edited as follows: (a) annotation at the foot of the page of each new word and idiom at its first occurrence; (b) starring of obvious cognates in the reading matter at their first occurrence; (c) complete end-vocabulary, including all irregular verb forms used and many starred but doubtful cognates; (d) marking with a dagger in the end-vocabulary of a list of about 100 common relational words presumed to be known by the students; (e) inclusion of all idioms in the end-vocabulary as well as in a separate list.

The total vocabulary content is given in the note preceding the end-vocabulary. The following analysis shows the high frequency of all the basic words used, measured in terms of the Buchanan List:

RANK	INDEX NUMBER IN THE BUCHANAN LIST	NUMBER OF WORDS
From the starred words *	Starred	184
" " 1st 500	42.7 and above	107
" " 2d 500	30.6 — 42.6	41
" " 3d 500	23.5 — 30.5	28
" " 4th 500	18.9 — 23.4	10
" " 5th 500	15.4 — 18.8	8
" " 6th 500	12.9 — 15.3	4
" " 7th 500	10.9 — 12.8	3
" " 8th 500	9.3 — 10.8	1
Not in Buchanan List	. . . .	2
		388 †

* Referring to the approximate 250 words eliminated by Buchanan.

† Derivatives and proper names are not included in this analysis. Note that about 78% of the words are from the first 750 words of the Buchanan List.

TO THE STUDENT

This series of Spanish booklets is intended to supply you with graded and interesting material that you can actually read with enjoyment as well as profit. In this first volume, the Spanish is unusually simple, but still it is genuinely Spanish, the kind used every day throughout the Spanish-speaking world.

The authors have restricted the number of new words to the page to a reasonable minimum; and in order not to waste your time, they have given in numbered footnotes at the bottom of the page the English equivalent of every new word and of many phrases peculiarly Spanish in make-up, at their first occurrence in the text. These words and phrases are repeated in the text, usually four or five times, so that you may get on a friendly basis with them.

You may already know most of the words marked with a dagger in the end-vocabulary. The starred words in the text are those so nearly like their English equivalents as to occasion no difficulty. You should learn to disregard slight variations from English spelling: *familia* = family; *necesario* = necessary. In addition to the use of due common sense, a few guiding principles will aid you in discovering word kinships: (1) Spanish letters are rarely ever doubled: *café* = coffee; *ocupar* = occupy; (2) words ending in *–dad* in Spanish usually end in *–ty* in English: *necesidad* = necessity; *utilidad* = utility; (3) adverbs ending in *–mente* usually end in *–ly* in English: *correctamente* = correctly; *inmediatamente* = immediately.

The plural of nouns is formed by the addition of *–s* or *–es* to the singular; but the variable endings of Spanish adjectives do not alter their meaning. There is more strict agreement of endings in Spanish than there is in English. Articles and adjectives agree in gender and number with their noun, and this accounts for as many as four forms of one word: *el, los, la, las* = the; *bueno, buena, buenos, buenas* = good. You will also note that gender is on a different basis in Spanish; there are no nouns of neuter gender: *casa* (house) is feminine, and *cuarto* (room) is masculine. These details need only be called to your attention in so far as they concern reading.

However, some endings, particularly verbal endings, do alter meaning. You will gradually learn these endings and their significance. It is sufficient at present to know that the infinitive form of Spanish verbs always ends in *–r*, that the third person singular ends in *–a* or *–e*, and that the third person plural adds *–n* to the singular: *hablar* = to talk; *habla* = he (*or* she) talks; *hablan* = they talk.

In order that you may profit most and with the least expenditure of effort, it is advisable to proceed somewhat as follows:

1. Look at the heading in order to find out what the paragraph deals with.
2. Glance over the whole paragraph, line by line, and get as accurate an idea as possible of its contents.
3. Scrutinize each sentence in turn and make a sensible guess as to what it means before you verify your conclusion by means of the footnotes.
4. Close your book and recall the main ideas of the paragraph.
5. Read the whole paragraph aloud in Spanish.

THE AUTHORS

DE TODO UN POCO

CASA [1]

La casa es grande.[2] La casa es blanca.[3]
La casa es buena.[4] La casa no es negra.[5] La
casa no es rica.[6] Es una casa grande. Es una
casa blanca. Es una casa buena. No es una
casa negra. No es una casa rica. Es una casa [5]
grande, blanca y buena. No es una casa negra
y rica. Es grande. Es blanca. Es buena. Es
grande, blanca y buena. No es negra. No es
rica.

HOMBRE [7]

Manuel es hombre. Es un hombre bueno. [10]
Es un hombre blanco. Es un hombre rico.
Es un hombre grande, blanco, bueno y rico.
Manuel es el hombre de la casa. El hombre de
la casa es Manuel. ¿ Es Manuel el hombre de
la casa ? El hombre de la casa blanca es Manuel. [15]
La casa grande es de Manuel.[8] La casa amarilla[9] no es de Manuel. Manuel no es el hombre
de la casa amarilla.

[1] casa, house. [2] grande, large, tall. [3] blanco, –a, white.
[4] bueno, –a, good. [5] negro, –a, black. [6] rico, –a, rich,
sumptuous. [7] hombre, man. [8] de Manuel, Manuel's.
[9] amarillo, –a, yellow.

MUJER [1]

La mujer de la casa es Conchita. Conchita es la mujer de Manuel. Conchita no es grande. Es una mujer buena. Es una mujer blanca. ¿ Es Conchita la mujer de la casa blanca ? La 5 casa blanca es de Conchita y Manuel. Manuel y Conchita son hombre y mujer. Son buenos. Son blancos. Él es grande. Ella no es grande. Ellos son buenos. Ellos son blancos.

NIÑO [2] — NIÑA [3]

Los niños [4] son tres. Los niños de la casa 10 blanca son tres. Los niños de Manuel y Conchita son tres. No son grandes. Son blancos. Dos de ellos son niños. Uno de ellos es una niña. Los niños son Pedro y Pablo. La niña es Luisa. Pedro es siempre bueno. Pablo no es siempre 15 bueno. Luisa es siempre buena. Los tres son los niños de Conchita y Manuel. Conchita es la mamá.* Manuel es el papá.*

FAMILIA

La familia* no es grande. La familia es pequeña.[5] Los hombres de la familia son tres. 20 Manuel, Pedro y Pablo son los hombres de la familia. Las mujeres de la familia son dos. Con-

[1] **mujer,** woman, wife. [2] **niño,** boy. [3] **niña,** girl. [4] **niños,** children, boys, boy(s) and girl(s). [5] **pequeño, –a** small, little.

chita y Luisa son las mujeres de la familia. La familia es rica. Conchita es la mujer de Manuel. Luisa es mujer. Luisa es la niña de Manuel y Conchita. Pedro y Pablo son los niños. Luisa es la niña. Los niños de la casa blanca son tres. 5 Los tres no son siempre buenos.

HERMANO [1] — HERMANA [2]

Pedro, Pablo y Luisa son hermanos.[3] Los tres son hermanos. Conchita y Manuel no son hermanos. Luisa es la hermana de Pedro y Pablo. Pedro y Pablo son hermanos. Pablo 10 es el hermano de Luisa y Pedro. Pedro y Luisa son hermanos. Los dos niños son hermanos de la niña. El papá de los tres hermanos es Manuel. La mamá de los tres hermanos es Conchita. El papá, la mamá y los tres hermanos son la 15 familia de la casa blanca.

AMIGO — AMIGA [4]

José es el amigo de Pedro y Pablo. Lolita es la amiga de Luisa. José y Lolita son hermanos. Son los niños de la casa amarilla. La casa amarilla es pequeña. José y Lolita no son ricos. 20 Son pobres.[5] El papá y la mamá de los niños son pobres. Son amigos de Manuel y Conchita.

---

[1] **hermano,** brother. [2] **hermana,** sister. [3] **hermanos,** brothers, brother(s) and sister(s). [4] **amigo, –a,** friend. [5] **pobre,** poor.

Las dos familias son amigas. Una familia es
rica, y la otra es pobre. Una casa es grande,
y la otra es pequeña. Una casa es blanca, y la
otra es amarilla. Los niños de la casa amarilla
5 son dos: Lolita y José.

HIJO [1] — HIJA [2]

José es hijo de Alberto y Lucía. Lolita es hija
de Alberto y Lucía. José y Lolita son hijos [3]
de Alberto y Lucía. Los hijos de Alberto y
Lucía son amigos de los hijos de Manuel y Con-
10 chita. José no es hermano de Pablo. Él es
amigo de Pablo y Pedro. Pedro y José no son
hermanos. José y Luisa no son hermanos. Son
amigos. Uno es pobre, y la otra es rica. El
papá de José es pobre, y el papá de Luisa es rico.

HABLAR [4] (HABLA — HABLAN)

15 José habla español. Lolita habla también el
español. Las dos familias hablan español.
Todos hablan español siempre. Luisa es española,[5] y Lolita es española también. Todos
son españoles. Todos son buenos amigos. Las
20 dos niñas españolas hablan mucho. Las mujeres siempre hablan mucho. Es natural. Los
hombres no siempre hablan mucho. Hablan
poco. También es natural.

[1] hijo, son. [2] hija, daughter. [3] hijos, sons, son(s) and
daughter(s). [4] hablar, to speak, talk. [5] español, -a, Spanish.

ESTAR [1] (ESTÁ — ESTÁN)

José está con su amiga. Su amiga es Luisa, la rica.[2] No está con Lolita, la pobre. Lolita es su hermana. Lolita está con Pedro y Pablo. Ellos son sus amigos. Están en la casa blanca. José está en la casa amarilla con su amiga Luisa. 5 Alberto y Lucía están también en la casa amarilla. Alberto no está siempre con sus hijos. Siempre está ocupado.[3] Lucía está siempre con ellos. Habla mucho. Ellos hablan también mucho. No están ocupados. 10

TENER [4] (TIENE — TIENEN)

Manuel tiene dos hijos y una hija. Alberto tiene sólo un hijo y una hija. Las dos familias tienen muchos amigos. Manuel tiene mucho dinero.[5] Es rico. Alberto tiene poco dinero. Es pobre. Manuel tiene mucho tiempo [6] y 15 mucho dinero. Alberto tiene poco tiempo y poco dinero. Manuel y Conchita tienen muchas casas. Alberto y Lucía tienen sólo una casa pobre.

SER [7] (ES — SON) — ESTAR (ESTÁ — ESTÁN)

Conchita es buena.[8] Lucía también es buena. 20

---

[1] **estar,** to be (*when expressing condition or location*). [2] **la rica,** the rich girl. [3] **ocupado,** busy. [4] **tener,** to have (*possess*). [5] **dinero,** money. [6] **tiempo,** time. [7] **ser,** to be (*when expressing a lasting quality*). [8] **es buena,** is good.

Conchita no está siempre buena.[1]   No tiene
buena salud.[2]   Lucía está siempre buena.
Tiene siempre buena salud.   Los niños están
siempre en buena salud.   Todos tienen buena
5 salud.   No están enfermos.[3]   Todos están
buenos ahora.   Ahora están todos en buena
salud.   Pablo no está ahora en la casa blanca.
Alberto está ahora en casa con sus hijos.   No
están ocupados ahora.

IR [4] (VA — VAN)

10   Los tres hijos de Manuel van a la escuela.[5]
No todos van a la misma [6] escuela.   Luisa va a
la escuela de niñas.   Pablo y Pedro van a la
escuela de niños.   Las dos escuelas son buenas.
Los dos hijos de Alberto también van a la
15 escuela.   José va a la misma escuela que Pedro
y Pablo.   Lolita va a la misma escuela que
Luisa.   Otros muchos [7] niños y niñas van a las
dos escuelas.

TENER QUE [8] (TIENE QUE — TIENEN QUE)

Los niños inteligentes * tienen que estudiar
20 poco.[9]   Las niñas inteligentes también tienen
que estudiar poco.   Los niños tontos [10] tienen

---

[1] **no está . . . buena,** is not well.   [2] **salud,** health.   [3] **enfermo,** sick, ill.   [4] **ir,** to go; **va,** goes.   [5] **escuela,** school.
[6] **mismo,** same.   [7] **otros muchos,** many other.   [8] **tener que,**
to have to.   [9] **estudiar poco,** to study little.   [10] **tonto,** dull,
stupid.

que estudiar mucho. Las niñas tontas también
tienen que estudiar mucho. Pablo no tiene que
estudiar mucho porque es inteligente. Pedro
estudia poco. ¿ Es inteligente ? Luisa es
tonta y tiene que estudiar mucho, pero es una 5
niña bonita.[1] No todas las niñas bonitas son
tontas.

AÑOS — EDAD [2]

Pablo tiene catorce (14) años.[3] Pedro tiene
sólo trece (13) años. Luisa tiene quince (15)
años. José tiene los mismos años (la misma 10
edad) que Pablo. Lolita tiene la misma edad
que Luisa. Lolita no es tonta y es bonita. Es
inteligente y bonita al mismo tiempo. ¡ Cosa
rara ![4] No tiene que estudiar mucho en la
escuela. Pablo tiene que estudiar más que ella. 15
Es inteligente, pero Lolita es más inteligente
que él.

HAY [5]

Hay tres maestros [6] en la escuela de niños.
Hay también tres maestras en la escuela de
niñas. Hay muchos niños que van a la escuela. 20
Hay muchas niñas también que van a la escuela,
pero no a la misma escuela. Los niños enfermos

---

[1] **bonito,** pretty. [2] **edad,** age. [3] **tiene catorce años,** is fourteen years old (*has fourteen years*). [4] **¡ cosa rara !** strange
thing \ [5] **hay,** there is, there are. [6] **maestro,** teacher.

no van a la escuela. Las niñas enfermas tampoco [1] van a la escuela. Hay pocos enfermos. Los enfermos están en casa. En la escuela todos estudian. Unos [2] estudian mucho, otros poco. 5 Hay pocos tontos en las dos escuelas. Hay muchos inteligentes que estudian poco. Hay también — ¡ cosa rara ! * — niñas bonitas que no son tontas.

HAY QUE [3]

Hay que ir a la escuela todos los días.[4] En 10 la escuela no hay que hablar mucho delante del [5] maestro. Hay que hablar poco delante del maestro o la maestra. Sólo hay que hablar de la lección.[6] No hay que hablar de otras cosas. Hay que estudiar. Hay que ser bueno. Hay 15 que estar ocupado con la lección. No hay que ser tonto. Hay que ser inteligente si es posible.*

SABER [7] (SABE — SABEN)

Pedro y Pablo saben su lección. Saben su lección todos los días. No tienen que estudiar mucho en casa, pero estudian delante de su 20 maestro. Luisa sabe también su lección. Estudia mucho en casa y también delante de su maestra. Sabe que es tonta. Tiene que estudiar

[1] **tampoco**, neither. [2] **unos**, some, a few. [3] **hay que**, it is necessary, one must. [4] **todos los días**, every day. [5] **delante de**, before. [6] **lección**, lesson. [7] **saber**, to know.

más que los otros. Siempre sabe su lección.
Lolita también sabe su lección todos los días.
Lolita sabe también que es más inteligente y
bonita que Luisa.

LLAMARSE (SE LLAMA) [1]

¿ Sabe usted cómo se llama [2] el maestro de la 5
escuela ? Sí, señor, uno de los maestros de la
escuela se llama don Atanasio Blasco y Silva.
Y ¿ sabe usted cómo se llama una de las maestras ? Sí, señor, una de las maestras se llama
doña Eulalia García de Blasco. Una mujer 10
española conserva [3] siempre el nombre [4] de su
familia. García es el nombre de su familia;
Blasco es el nombre de su marido.[5] Don
Atanasio Blasco y Silva es su marido. Las
otras dos maestras no tienen marido.   15

MAYOR [6] — MENOR [7]

El hijo mayor de Manuel se llama Pablo. El
hijo menor se llama Pedro. El nombre completo * de Manuel es Manuel Pardo y Revilla.
El nombre completo de su mujer es Conchita
Rivas de Pardo. El nombre de la familia de Con- 20
chita es Rivas. Su hija se llama Luisa Pardo y
Rivas. Su hijo menor se llama Pedro Pardo

---

[1] **se llama,** is called. [2] **¿ cómo se llama ?** what is the name
of. [3] **conservar,** to keep, retain. [4] **nombre,** name. [5] **marido,**
husband. [6] **mayor,** older, elder. [7] **menor,** younger.

y Rivas. Su hijo mayor se llama Pablo Pardo y Rivas. El mayor de los dos hijos de Alberto es José. Se llama José Morales y Santos, porque su padre (papá) es Alberto Morales 5 y Arce, y su madre (mamá) es Lucía Santos de Morales.

ENTENDER [1] (ENTIENDE—ENTIENDEN)

Uno de los maestros entiende el inglés.[2] Los otros dos no entienden el inglés. Sólo entienden el español. José no sabe el inglés, pero su padre 10 sí.[3] Alberto es un hombre inteligente. Es el más inteligente de todos. Entiende y habla el inglés y el español. Su mujer entiende un poco el inglés. Lolita entiende también un poco el inglés. En la casa de Manuel nadie [4] en-15 tiende el inglés. ¿ Entiende usted el inglés ?

CERCA [5] — LEJOS [6]

La casa blanca donde vive [7] Manuel con su familia está cerca de la casa amarilla donde vive Alberto con su mujer y sus dos hijos. Las dos casas están cerca de las dos escuelas. Las es-20 cuelas están cerca la una de la otra. Luisa y Lolita viven cerca una de la otra. Nadie vive lejos de las dos escuelas. Pedro tiene un amigo,

[1] **entender,** to understand. [2] **inglés,** English. [3] **su padre sí,** his father does. [4] **nadie,** no one. [5] **cerca (de),** near. [6] **lejos (de),** far, far from. [7] **vivir, to live.**

menor que él, quien vive lejos de las dos escuelas. ¿Dónde vive usted? ¿Vive usted
lejos de su escuela?

LA HORA [1]

¿A qué hora van los niños a la escuela? Los
niños van a la escuela a las nueve [2] de la 5
mañana. [3] ¿Sabe usted a qué hora van las
niñas a la escuela? Sí, señor, las niñas también
van a su escuela a las nueve de la mañana.
Tienen que estar en la clase * a las nueve de la
mañana todos los días. El maestro también 10
tiene que estar en su clase un poco antes de las
nueve de la mañana. La maestra tiene que
estar en su clase a la misma hora que el maestro,
un poco antes de las nueve de la mañana.

ENTRAR [4] (ENTRA — ENTRAN)

Don Atanasio entra en la escuela antes de 15
las nueve de la mañana. También doña Eulalia
entra en la escuela a la misma hora. Son las
nueve [5] de la mañana. El maestro está sentado. [6] La maestra también está sentada.
Pablo entra en la clase y dice [7] a su maestro: 20
— Buenos días, [8] don Atanasio, ¿cómo está

[1] **la hora,** time of day (*hour*).   [2] **a las nueve,** at nine
o'clock.   [3] **mañana,** morning.   [4] **entrar,** to enter.   [5] **son las
nueve,** it is nine o'clock.   [6] **sentado,** seated, sitting down.
[7] **dice,** says.   [8] **buenos días,** good morning.

usted? — Lolita entra en su clase y dice a su
maestra: — Buenos días, doña Eulalia, ¿ cómo
está usted? — Los otros niños entran poco a
poco y dicen a su maestro: — Buenos días,
5 señor, ¿ cómo está usted? — Las niñas entran
también poco a poco y dicen a su maestra: —
Buenos días, señora, ¿ cómo está usted?

SENTADO — DE PIE [1]

El maestro está sentado. También la maestra
está sentada delante de su clase. Los niños
10 también están sentados delante del maestro.
Todos están muy ocupados. Todos estudian.
Pero hay un niño que está de pie. Está de pie
para hablar al maestro. Él solo está ahora de
pie. Pablo no está de pie. Él está sentado
15 lejos de Pedro. Está sentado cerca de una niña
muy bonita. La niña se llama Tula. Pedro
es mayor que ella. Tula sólo tiene doce (12)
años.

SALIR [2] (SALE — SALEN)

Los niños salen de la escuela al mediodía.[3]
20 Las niñas también salen de la escuela al mediodía. Todos salen poco a poco. No salen
todos al mismo tiempo. Los maestros y las
maestras salen un poco después del mediodía.

[1] de pie, standing. [2] salir (de), to leave. [3] mediodía,
noon.

Al mediodía todos van a casa. Van a su casa
a pie [1] porque la escuela no está lejos de su casa.
¿ Va usted a su casa al mediodía ? ¿ Sale usted
de la escuela al mediodía ? ¿ Va usted a casa
a pie ?   5

HAMBRE (TENER HAMBRE) [2]

Es mediodía. Pablo sabe que es mediodía
porque tiene hambre. Dice a uno de sus
amigos: — Tengo mucha hambre. — El amigo
contesta [3]: — Tengo más hambre que nadie.[4] —
Bueno, bueno — dice don Atanasio. — El que [5] 10
tiene hambre tiene buena salud. Es natural
tener hambre. El que no tiene hambre al
mediodía está enfermo. Es bueno tener hambre.
El que no tiene hambre está en mala [6] salud.

COMIDA [7]

La comida en casa de la familia de Manuel 15
Pardo y Revilla es muy buena. La comida en
casa de la familia de Alberto Morales y Arce
es mala. Pero los hijos de Alberto comen [8]
más que los hijos de Manuel. Siempre tienen
más hambre. Su padre dice: — Con hambre, 20
todas las comidas son buenas. El que come

---

[1] **a pie,** afoot, on foot. [2] **hambre,** hunger, appetite; **tener
hambre,** to be hungry. [3] **contestar,** to reply, answer. [4] **que
nadie,** than anybody. [5] **el que,** he who. [6] **malo,** bad, poor
(*not good*). [7] **comida,** food, meal. [8] **comer,** to eat.

con hambre está en buena salud. — Pero Luisa,
la hija del rico, come siempre sin hambre.
Lolita, la hija del pobre, come siempre con
hambre. Para ella todas las comidas son
5 buenas.

CALOR (TENER CALOR) [1]

A las dos de la tarde [2] tienen que estar los
niños en la escuela. Los maestros y las maestras
tienen que estar en su clase un poco antes de
las dos de la tarde. Es una tarde de mucho
10 calor. Todos hablan del calor. José tiene
mucho calor. Lolita tiene más calor que José.
Pablo dice que él tiene más calor que nadie.
Está de pie. Juanito, otro de sus amigos, está
también de pie. — ¿ Qué tienen ustedes ? [3]
15 ¿ Por qué no están todos sentados ? — dice don
Atanasio. — Porque tengo mucho calor — dice
Juanito. — ¡ Uf ! ¡ Qué calor ! — dicen los
otros.

QUERER [4] (QUIERE — QUIEREN)

Uno de los niños está de pie delante del
20 maestro. El niño se llama Federico. Quiere
salir al [5] patio porque allí hay menos calor.
También José, Pablo y Juanito quieren salir

---

[1] **calor,** heat; **tener calor,** to be warm (*referring to a person*).
[2] **tarde,** afternoon. [3] ¿ **qué tienen ustedes ?** what is the matter with you ? [4] **querer,** to want. [5] **salir a,** to go out to.

al patio. Después todos quieren salir al patio.
El maestro y todos van al patio. Estudian allí
hasta las cuatro de la tarde. A las cuatro de
la tarde es hora de salir de la escuela. — Adiós,[1]
don Atanasio — dicen antes de salir. — Hasta 5
mañana [2] — dice el maestro.

LLEGAR [3] (LLEGA — LLEGAN)

Son las cuatro y media [4] de la tarde. Es la
hora en que llegan a casa los niños. Pablo
llega a su casa el primero. Luisa y Pedro
llegan un poco después. Casi todos los días 10
llegan un poco más tarde [5] que Pablo. Son casi
las cinco de la tarde cuando Pedro y Luisa
llegan a casa. — Buenas tardes,[6] mamá — dicen
a Conchita. — Buenas tardes, hijos — contesta
ella. — ¿ Dónde está mi padre ? — dice Pedro. 15
— Quiero hablar con él, si no está muy ocupado.
— En este momento llega Manuel. — Buenas
tardes, Conchita; buenas tardes, hijos.

LECCIONES PARTICULARES [7]

A las cinco en punto [8] llega a la casa blanca
el profesor * de piano. Se llama don Teófilo del 20
Valle. Don Teófilo da [9] lecciones particulares.

[1] **adiós,** good-bye. [2] **hasta mañana,** until tomorrow, " so
long." [3] **llegar,** to arrive. [4] **medio,** half; **y media,** half past.
[5] **más tarde,** later. [6] **buenas tardes,** good afternoon. [7] **particular,** private. [8] **en punto,** sharp, on the dot. [9] **da,** gives.

No da lecciones en la escuela como don Atanasio y como doña Eulalia. Va de casa en casa y da lecciones particulares de media hora a cada niño o niña. Da lecciones el mismo día
5 a Luisa y a su hermano Pablo. Además de ser[1] un buen profesor de piano, don Teófilo es un buen amigo de la familia.

MEJOR[2] — PEOR[3]

Luisa toca[4] el piano muy bien. Es tonta en la escuela, pero es muy inteligente para la
10 música.* Toca el piano mejor que Pablo. El profesor de piano dice que Luisa toca mejor que nadie. Pedro toca el piano muy mal. No es inteligente para la música. José toca el piano peor que Pedro. Lolita toca el piano peor
15 que nadie. No es tonta en la escuela, pero para la música sí es[5] muy tonta. Como es pobre, su madre le da lecciones de piano. Luisa toca mejor que muchos profesores de piano.

CANSADO[6]

A las seis de la tarde, acaba[7] la lección de
20 piano. Pablo y Luisa están cansados de tocar el piano. También el pobre don Teófilo está cansado, pero tiene que ir a otra casa para dar otra

[1] **además de ser,** besides being. [2] **mejor,** better. [3] **peor,** worse. [4] **tocar,** to play. [5] **sí es,** she is indeed. [6] **cansado,** tired. [7] **acabar,** to finish, end.

lección particular. Como el pobre señor no está muy bien de salud, siempre está cansado a esta hora. Además ya tiene muchos años de edad. Sale de su casa a las nueve de la mañana, da lecciones particulares hasta el mediodía, va a su casa **5** para comer, y a las dos de la tarde sale otra vez para dar más lecciones.

CENA — CENAR [1]

Los niños están cansados y además tienen mucha hambre. Son ya las ocho de la noche.[2] Es hora de cenar. En esta casa la cena está **10** siempre en la mesa [3] a las ocho en punto. Todos los días cenan a la misma hora. Conchita va al patio donde están sentados sus hijos y les dice:
— La cena está en la mesa, hijos. Son ya las ocho de la noche. Vamos, vamos todos a cenar.[4] **15**
— Conchita no tiene que decir [5] la misma cosa dos veces porque los niños tienen mucha hambre.

COMEDOR [6]

En el comedor hay siete personas.* Cuatro de ellas son personas mayores [7]: el padre, la madre y dos amigos de la familia Pardo. Las personas **20** menores son Luisa, Pablo y Pedro. Los amigos

[1] **cena,** supper; **cenar,** to eat supper. [2] **noche,** night; **de la noche,** in the evening. [3] **mesa,** table. [4] **vamos todos a cenar,** let's all go and have supper. [5] **decir,** to say. [6] **comedor,** dining room. [7] **personas mayores,** adults, grown people.

son la señora doña Josefina Lara de Palma,
y el señor don Edmundo Palma y Mora, su
marido. La señora de Palma está sentada al
lado [1] del señor Pardo. La cena acaba a las
5 nueve y media. Ya es muy tarde para los niños.
Están muy cansados. Salen del comedor.

ACOSTARSE [2] (SE ACUESTA — SE ACUESTAN)

Los niños se acuestan todos los días a las nueve
y media de la noche. Hoy [3] se acuestan un poco
más tarde. Otras veces se acuestan más tem-
10 prano [4] que hoy. Pablo y Pedro se acuestan en
el mismo cuarto.[5] Las personas mayores se
acuestan mucho más tarde. Hoy se acuestan
después de la medianoche,[6] cuando la señora de
Palma y su marido se van a su casa. El señor
15 y la señora de Palma llegan a su casa a la una de
la mañana.

DORMIR [7] (DUERME — DUERMEN)

Los niños duermen diez horas y media, desde
las nueve y media de la noche hasta las ocho de
la mañana. Siempre duermen muy bien porque
20 están en buena salud. Manuel y Conchita duer-

---

[1] lado, side; al lado de, beside. [2] acostarse, to go to bed;
se acuesta, goes to bed. [3] hoy, today. [4] temprano, early.
[5] cuarto, room. [6] medianoche, midnight. [7] dormir, to sleep;
duerme, sleeps.

men sólo siete horas. Manuel duerme mal porque cena mucho. Conchita duerme mejor que
su marido. Duerme casi siempre desde la medianoche hasta las siete y media de la mañana.
Además todas las tardes duerme la siesta. Su 5
marido también duerme la siesta de una hora,
pero no duerme tan bien como su mujer.

LEVANTARSE [1] (SE LEVANTA — SE LEVANTAN)

Pedro se levanta muy aprisa [2] y sale al patio.
Pablo duerme casi siempre unos minutos * más
que su hermano. No se levanta tan aprisa como 10
él. Luisa no se levanta tampoco muy aprisa.
Su madre tiene que ir dos o tres veces a su cuarto
para decirle que ya es muy tarde. Ya son las
ocho y trece minutos (8:13). Pedro ya está en el
comedor. Él es el primero en llegar al comedor. 15
Pablo es el segundo en llegar al comedor. Luisa
es siempre la última [3] en llegar al comedor.

EL DESAYUNO — DESAYUNARSE [4] (SE DESAYUNA)

Son las nueve menos [5] veinticinco (25) minutos. Ya está el desayuno en la mesa. Pedro

---

[1] **levantarse**, to get up; **se levanta**, gets up. [2] **aprisa,**
quickly, fast. [3] **último,** last. [4] **el desayuno,** breakfast; **desayunarse,** to eat breakfast. [5] **menos,** less; **menos veinticinco,**
25 minutes to.

se desayuna con mucha hambre. Es el primero
en llegar al comedor. Se desayuna pan [1] y chocolate con leche.[2] Todos los niños se desayunan
pan y chocolate con leche. Se desayunan muy
5 aprisa, porque tienen muy poco tiempo. Las
personas mayores se desayunan café * y pan.
No se desayunan aprisa como los niños, porque
no tienen que salir de casa tan temprano como
ellos. Manuel se desayuna café con leche y pan.
10 Su mujer se desayuna café solo [3] y un poco de
leche.

CORRER [4] (CORRE — CORREN)

Después del desayuno, los niños corren a la
escuela. Pedro acaba su desayuno el primero, y
no tiene que correr como los otros. Son ya las
15 nueve menos siete minutos. Hay que correr
muy aprisa para llegar a tiempo [5] a la escuela.
Luisa es siempre la última en acabar su desayuno, y tiene que correr más aprisa que los
otros. Cuando Pablo llega a la escuela, son las
20 nueve menos dos minutos. Cuando Luisa llega
a la escuela, son las nueve y cinco minutos.
Cuando entra en la clase, la maestra le dice: —
Luisa, ya son las nueve y cinco; no es ésta la
hora de llegar a la escuela.

---

[1] se desayuna pan, has bread for breakfast. [2] leche, milk.
[3] café solo, black coffee. [4] correr, to run. [5] a tiempo, on time.

LECTURA ¹ — ESCRITURA ²

La maestra escribe ³ algo en la pizarra.⁴ Las niñas copian * lo que ella escribe. Es la lección de escritura. La maestra tiene muy buena letra.⁵ Luisa tiene muy mala letra. En la clase de los niños, José es quien tiene la mejor letra. Tiene 5 una letra muy bonita. La lección de lectura es después de la lección de escritura. Luisa sabe muy bien su lección de lectura.

LEER ⁶ (LEE — LEEN)

Luisa sabe ⁷ leer muy bien, casi tan bien como doña Eulalia, su maestra; pero siempre lee en 10 voz baja.⁸ Doña Eulalia tiene que decirle varias * veces: — Levanta ⁹ la voz, Luisa; ¿ tienes miedo ? ¹⁰ ¿ Por qué no quieres leer en voz alta ? ¹¹ — Al contrario,* en la clase de don Atanasio, José, quien lee mejor que nadie, lee en voz tan 15 alta que su maestro le dice varias veces: — Baja ¹² un poco la voz, José; no estamos tan lejos uno de otro. — Sí, señor; — contesta José, y baja un poco la voz durante uno o dos minutos.

¹ lectura, reading. ² escritura, writing. ³ escribir, to write. ⁴ pizarra, blackboard. ⁵ letra, handwriting; tiene buena letra, writes a good hand. ⁶ leer, to read. ⁷ saber, to know, know how. ⁸ voz, voice; voz baja, undertone. ⁹ levantar, to raise. ¹⁰ ¿ tienes miedo? are you afraid? ¹¹ en voz alta, out loud. ¹² bajar, to lower.

VOLVER [1] (VUELVE — VUELVEN)

Los muchachos [2] salen de la escuela, como ayer,[3] al mediodía. Las muchachas también salen de su escuela, como ayer, al mediodía. Unos corren por la calle,[4] otros no. Entre los
5 muchachos que corren van José y Lolita. Pronto llegan a la casa amarilla donde ya sabemos que viven. Llegan muy a tiempo para la comida, un poco antes que su padre. Alberto, su padre, vuelve también a esta hora. Su buena mujer le
10 pregunta si está cansado. Él contesta que no, pero que tiene mucha hambre. — Vamos al comedor — le dice Lucía; — ya está la comida en la mesa.

LE GUSTA — LES GUSTA [5]

La comida no es muy variada,* pero es abun-
15 dante*: mucho pan, poca carne,[6] algo de vino,[7] y después mucha fruta.* A Lolita le gusta el pan con vino. A su madre no le gusta mucho el vino. A José y a su padre les gusta todo: pan, carne, vino y fruta. No comen más porque no hay más.
20 Tienen un apetito * formidable.* Después de la comida, Alberto y Lucía toman [8] café. A los

---

[1] volver, to return; vuelve, returns. [2] muchacho = niño.
[3] ayer, yesterday. [4] calle, street. [5] le gusta, he likes; les gusta, they like. [6] carne, meat. [7] algo de vino, a little wine.
[8] tomar, to take. drink.

muchachos no les gusta el café solo. Salen del comedor para ir al patio mientras[1] su padre y su madre toman café.

VENIR[2] (VIENE — VIENEN)

Alguien llama a la puerta.[3] — ¿ Quién es ? — pregunta Lucía. — Soy yo[4] — contesta una 5 voz conocida.[5] — Somos nosotros — contesta otra voz también conocida. La primera es una voz baja de hombre. La segunda es una voz alta de mujer. Lucía corre a la puerta. Allí están de pie dos amigos de la familia. Son la señora 10 María Ramos de Vargas y su marido, el señor Vargas y Durán. Vienen de Córdoba donde viven la mayor parte * del año. Sólo vienen a Sevilla dos o tres veces al año. Algunas veces viene solo el señor Vargas; otras veces viene sola 15 la señora de Vargas. Siempre que[6] vienen, visitan * a la familia Morales.

PASAR[7] (PASE USTED — PASEN USTEDES)

— ¿ Cómo está usted, María ? ¿ Y usted, don Julián, cómo está ? ¡ Qué gusto[8] es siempre para mí el verlos ! Pase usted, don Julián. Pase 20 usted, María. Ya saben ustedes que ésta es su

---

[1] **mientras,** while. [2] **venir,** to come. [3] **llama a la puerta,** is knocking at the door. [4] **soy yo,** it is I; **somos nosotros,** it is we. [5] **conocido,** known, familiar. [6] **siempre que,** whenever. [7] **pasar,** to come in. [8] **gusto,** pleasure.

casa.[1] — Todo esto lo dice Lucía sin dar tiempo
de contestar a sus amigos. Por fin [2] contestan:
— Nosotros estamos muy bien, muchas gracias[3]; ¿y ustedes? ¿Y los niños, cómo están de
5 salud? — Perfectamente * — contesta Lucía. —
Pase usted, don Julián. Pase usted al patio,
María. — Después de ustedes — dice don Julián, antes de pasar adelante.[4] — Primero pasa
la señora de Vargas. Después de ella pasa su
10 marido.

SENTARSE [5] (SE SIENTA — SE SIENTAN)

Todos se sientan en el patio. Hoy no es un día
de tanto calor como ayer. Alberto viene al patio
para saludar [6] a sus amigos. Les dice: —
¡Cuánto gusto tengo de ver a ustedes! — El
15 gusto es mío — contesta don Julián. Doña
María contesta lo mismo que su marido: — El
gusto es mío, Alberto. ¿Cómo está usted? —
Alberto se sienta unos momentos al lado de
Julián. María se sienta al lado de Lucía. Al
20 poco tiempo, Alberto se levanta para ir a su trabajo.[7] — Vuelvo muy pronto, amigos míos.
Hoy trabajo [8] sólo dos horas más.

---

[1] **ésta es su casa,** we welcome you to our home (*this is
your house*). [2] **por fin,** finally. [3] **gracias,** thanks. [4] **adelante,** forward, ahead. [5] **sentarse,** to sit down. [6] **saludar,**
to greet, speak to. [7] **su trabajo,** his work. [8] **trabajar,** to
work.

HACE CALOR [1]

Estamos ya en la primavera.[2] Es la estación [3] más bonita de todo el año en Sevilla. Estamos en el mes de mayo.* Hace calor en el patio pero no tanto como ayer. Hoy es un día claro,* de mucho sol.[4] Así [5] son todos los días de prima- 5 vera en esta parte de España. En mayo casi siempre hace algo de calor al mediodía y por la tarde hasta que baja el sol,[6] pero don Julián dice que hace más calor en Córdoba que en Sevilla. Su mujer también dice: — A esta hora de la 10 tarde, el calor de Córdoba es peor que el de [7] aquí. Por eso me gusta venir a Sevilla en la primavera. — A mí me gusta el calor — dice José. — ¡ Qué tonto eres tú ! — exclama * Lo- lita, su hermana. — Cuando hace tanto calor, 15 ni duermo ni como bien — dice su madre.

ESTÁ(N) HABLANDO

Están hablando todavía del calor cuando en- tran en el patio los tres hijos de Manuel. Entran corriendo.[8] Lo primero que dicen es: — ¡ Qué fresco [9] está este patio ! En nuestra escuela hace 20

---

[1] **hace calor,** it (*the weather*) is hot.   [2] **primavera,** spring (*of the year*).   [3] **estación,** season.   [4] **sol,** sun; **de mucho sol,** very sunny.   [5] **así,** thus, like this.   [6] **baja el sol,** the sun goes down.   [7] **el de,** that of.   [8] **entran corriendo,** they come run- ning in.   [9] **fresco,** cool.

más calor que aquí. — Luego[1] van a saludar
a don Julián y a doña María dándoles la mano.[2]
— ¡ Ay qué alto está Pedro ![3] Ya casi está tan
alto como su padre. — Lucía, quien en este mo-
5 mento está hablando con María, le dice: — Mi
José no es tan alto como Pedro, pero es más
fuerte[4] que él, y sobre todo tiene mejor salud que él. — ¿ De quién están ustedes hablando ahora ? — pregunta Luisa. — Estamos
10 hablando de que José es más fuerte que Pedro.
— Eso es natural — dice Luisa — porque mi
hermano sólo tiene trece años mientras que
José tiene ya catorce.

JUGAR[5] (JUEGA — JUEGAN)

El día siguiente[6] es sábado.[7] Es un bello[8]
15 día de primavera. No hace ni calor ni frío.[9]
Los sábados no hay clases ni trabajo para los
muchachos. Juegan todo el día. Unas veces
juegan todos en el patio de la casa amarilla,
otras veces en el de la casa blanca. Hoy vienen
20 los hijos de Alberto a la casa blanca para jugar
con los de Manuel. Les gusta jugar aquí porque
el patio es más grande y más bonito que el suyo.

---

[1] **luego,** then, immediately. [2] **dándoles la mano,** shaking
hands with them. [3] ¡ **qué alto está Pedro !** how tall Pedro
seems ! [4] **fuerte,** strong, robust. [5] **jugar,** to play. [6] **siguiente,** next. [7] **sábado,** Saturday; **los sábados,** on Saturday. [8] **bello,** beautiful, fine. [9] **frío,** cold.

El suyo es muy pequeño. Casi siempre juegan al toro.[1] José es el mejor toro de todos porque corre muy aprisa. A Lolita y a Luisa no les gusta jugar al toro. No es un juego [2] para señoritas. Juegan una media hora con los mucha- [5] chos, y luego les dicen que están cansadas, y se sientan. Están cansadas de tanto correr. Los muchachos juegan hasta el mediodía cuando Conchita viene a llamarlos para comer.

PODER [3] (PUEDE — PUEDEN)

Por la tarde las dos familias van juntas [4] al [10] campo.[5] Todos pueden ir menos Alberto, quien tiene que trabajar casi todos los sábados. Como es pobre, no puede hacer todo lo que quiere como Manuel. Van al campo en auto, pero no pueden todos ir en el mismo auto. Son dos los autos. [15] Uno de los autos es de Manuel, el otro es de un amigo suyo. Ambos [6] son autos de seis asientos.[7] Apenas [8] hay sitio [9] para todos. Manuel dice: — Los cinco muchachos pueden ir conmigo en mi auto. Lucía, Conchita, la señora de Var- [20] gas y su marido pueden ir en el otro. — Con mucho gusto — contestan todos.

---

[1] toro, bull; al toro, bullfight. [2] juego, game. [3] poder, to be able; puede, can. [4] juntos, together. [5] campo, country. [6] ambos = los dos. [7] asiento, seat. [8] apenas, barely. [9] sitio, room, place.

SUBIR [1] (SUBE — SUBEN)

Pedro sube al automóvil * el primero. Después sube Luisa, luego Lolita; después suben Pablo y José; y por último sube Manuel. Ya están todos sentados. Los seis asientos están 5 ocupados.* Apenas hay sitio para más, pero José llama a su perro,[2] y éste también sube y se sienta sobre dos de los niños. Es un perro grande y amarillo que ocupa tanto lugar [3] en el automóvil como un muchacho. Está muy contento * 10 de ir también en el automóvil. Le gusta mucho salir de casa con los muchachos. El perro se llama Choto. No se está quieto * un solo instante.* Pasa de un asiento a otro. Quiere subir y bajar [4] del automóvil muchas veces.

LLEVAR (LLEVA — LLEVAN)

15 El auto de Manuel va delante, el otro viene detrás.[5] El segundo auto lleva algunas provisiones *: pan, fruta, leche, café. Cada cual lleva algo útil.[6] Unos llevan algo de comer o beber [7]; otros llevan libros [8]; otros llevan pe- 20 riódicos [9] para leer o para sentarse sobre ellos. Manuel lleva un libro y papel [10] para escribir.

[1] **subir**, to get in, climb in. [2] **perro**, dog. [3] **lugar**, space, room. [4] **bajar**, to get out, go down. [5] **detrás**, behind. [6] **útil**, useful. [7] **beber**, to drink. [8] **libro**, book. [9] **periódico**, newspaper. [10] **papel**, paper; **papel para escribir**, writing paper.

Los niños no llevan nada útil. Sólo llevan a su perro para jugar con él en el campo. ¡ Qué bello día de primavera para pasarlo en el campo ! La temperatura * es ideal hoy. No hace ni frío ni calor. **5**

BAJAR (BAJA — BAJAN)

A la hora y media de viaje,[1] llegan a un campo muy verde.[2] Allí bajan todos. Primero baja el perro. Eso es natural. Luego bajan los muchachos tan aprisa como pueden, y por último baja Manuel con su libro y sus papeles. Las **10** personas mayores que van en el segundo auto bajan poco a poco con las provisiones y las cosas útiles que llevan en la mano. Se sientan en un sitio donde no hay sol, y los muchachos comienzan a jugar al toro con su perro amarillo. **15**

HACER [3] (HACE — HACEN)

Cada cual hace algo diferente.* Los muchachos juegan al toro. Lolita y Luisa dan de comer a[4] Choto. Lucía, Conchita y la señora de Vargas hablan sin cesar.[5] No hacen nada útil. El señor Vargas no hace más que leer un periódico **20** de Madrid. Manuel tiene el libro entre las manos y escribe algo en él. Cuando el señor Var-

---

[1] **viaje,** trip, traveling. [2] **verde,** green. [3] **hacer,** to do, make. [4] **dar de comer a,** to feed; **dar de beber a,** give water to. [5] **sin cesar,** incessantly.

gas se cansa [1] de leer, se acuesta sobre la hierba.[2]
Quiere dormir la siesta, pero los muchachos
hacen mucho ruido.[3] El pobre no puede dormir.
No es posible dormir con tanto ruido — dice, y
5 se levanta para ver lo que hacen las muchachas
que están cerca de él. En este momento * Lolita y Luisa dan de beber a [4] Choto. El perro
amarillo bebe toda el agua [5] que le dan las muchachas y luego corre a donde están jugando los
10 muchachos.

SACAR [6] (SACA — SACAN)

El sol ya está sobre el horizonte.* Baja poco
a poco y todos vuelven la cabeza [7] para verlo. —
¿ Qué hora es ? — pregunta Lucía. Manuel saca
su reloj [8] para ver la hora. El señor Vargas tam-
15 bién saca su reloj. Ambos sacan su reloj al
mismo tiempo. Ya es tarde — dice Manuel. —
Sí, ya son las seis y media — dice el señor Vargas.
— ¡ Ay, qué pronto pasa el tiempo ! — dice Conchita, sacando también su reloj. — ¡ Vámo-
20 nos.[9] No hay más tiempo que perder.[10] No
me gusta viajar de noche en automóvil. — Yo
también tengo miedo cuando viajo de noche —
contesta la señora de Vargas. Hay tantos cho-

[1] **cansarse,** to get tired. [2] **hierba,** grass. [3] **ruido,** noise.
[4] **dar de beber a,** to give water to. [5] **agua,** water. [6] **sacar,**
to take out. [7] **cabeza,** head. [8] **reloj,** watch. [9] **vámonos,** let's
go. [10] **perder,** to lose.

ques [1] de automóviles por la noche. — No **hay**
razón [2] para tener miedo — les dice Manuel. —
Todavía hay bastante luz.[3]   ¿ Qué puede
pasar [4] en hora y media de viaje ?

ANDAR [5] (ANDA — ANDAN)

— Tengo sed [6] — dice Pablo. — Yo también 5
tengo mucha sed — dice Pedro.   Antes de subir
al auto, los muchachos quieren beber agua, pero
Lucía los hace beber [7] leche y tomar pan.   Después beben agua.   Las señoras comen fruta.   Los
señores toman café con leche.   El perro anda de 10
un lugar a otro comiendo lo que le dan.   Por fin
los muchachos suben al auto, llaman a Choto,
y éste ocupa su sitio entre ellos como antes.
Todos los asientos están ocupados.   Todavía
hay bastante luz cuando los dos autos comienzan 15
a andar en dirección * a Sevilla. — ¿ Qué hora
es ? — pregunta Manuel. — Mi reloj no anda.
— José saca su reloj y contesta: — El mío anda
perfectamente.   Son las siete y cuarto.[8] — El
reloj del auto anda también mal — dice Lolita. 20
— Sí — dice Pedro — todos los relojes de auto
andan siempre mal.

---

   [1] cho**q**ue, collision.   [2] **razón,** reason.   [3] **luz,** light.   [4] **pasar,**
happen.   [5] **andar,** to run, move, go.   [6] **tengo sed,** I am
thirsty; **sed,** thirst.   [7] **los hace beber,** has them drink.   [8] **y
cuarto,** a quarter past.

PARARSE¹ (SE PARA — SE PARAN)

Otra vez el auto de Manuel va delante, el otro viene detrás. Cuando se para el primero, también se para el segundo detrás de él. Van muy cerca uno de otro. Hay que pararse en
5 ciertos² lugares antes de pasar adelante. Es necesario,* por ejemplo,³ pararse en algunas intersecciones.* Es de noche⁴ y apenas pueden verse unos a otros,⁵ porque hay poca luz. Son las ocho y media de la noche. A esta hora son
10 muchos los autos (hay muchos autos) que vuelven del campo. Conchita y la señora de Vargas tienen miedo. No les gusta viajar de noche en automóvil; pero no hay razón para tener miedo de un choque, porque Manuel sabe muy bien lo
15 que hace, y ve perfectamente. El auto lleva⁶ buenas luces. Por fin los dos autos se paran delante de la casa, y todos se bajan.

OÍR⁷ (OYE — OYEN)

Cuando los automóviles se paran delante de la puerta, Alberto no los oye, porque está en una
20 de las habitaciones interiores⁸ de su casa. La puerta no está abierta,⁹ y Lolita llama. Llama

---

¹ **pararse,** to stop; **se para,** stops. ² **cierto,** certain. ³ **por ejemplo,** for instance. ⁴ **es de noche,** it is after dark. ⁵ **verse unos a otros,** see one another. ⁶ **lleva,** has (*carries*). ⁷ **oír,** to hear; **oye,** hears. ⁸ **habitación interior,** inner room. ⁹ **abierto,** open.

una vez, dos veces, tres veces, pero nadie la oye.
— Si no llamas fuerte, no te oyen — le dice su
hermano. José entonces llama a la puerta otra
vez. Llama más y más fuerte, pero no le oyen.
Por fin Alberto oye el ruido que hacen y corre a 5
abrir [1] la puerta. Buenas noches [2] — les dice.
— ¿ Cómo están todos ? ¿ Hay novedad ? [3]
¿ Por qué llegan ustedes tan tarde ? Ya son las
nueve menos cuarto.[4] — El ruido que hacen los
cinco muchachos y el perro es tanto que Manuel 10
no oye bien todo lo que pregunta Alberto, pero
le contesta diciendo [5]: — No hay novedad, Alberto. Lucía y todos estamos perfectamente,
aunque [6] un poco cansados. Vamos a sentarnos
un rato.[7]   15

TENER SUEÑO [8]

Todos se sientan un rato para descansar.[9]
En el patio hay poca luz. Apenas pueden verse
unos a otros. Es una noche de primavera, algo
fría. La conversación * no es muy animada.*
Aun las señoras hablan poco. Todos tienen 20
sueño menos Alberto. Los muchachos apenas
hablan. No se oye el ruido de costumbre [10] en

---

[1] **abrir,** to open. [2] **buenas noches,** good evening. [3] **¿ hay
novedad ?** has anything happened ? [4] **menos cuarto,** a quarter
to; **menos,** less. [5] **diciendo,** saying. [6] **aunque,** although.
[7] **un rato,** a while. [8] **tener sueño,** to be sleepy. [9] **descansar,**
to rest. [10] **de costumbre,** usual.

el patio. ¡ Cosa rara! Todos los muchachos
están sentados. El perro está acostado [1] a los
pies de José. El perro duerme. — ¡ Qué sueño
tengo, papá! — dice Pablo. — Yo también
5 tengo sueño — dice Conchita, levantándose [2]
también. — Es el aire * del campo. — ¡ Cómo!
¿ No quieren ustedes cenar con nosotros esta
noche ? — Muchas gracias — repiten varias
voces. — Tenemos más sueño que hambre.
10 Muchas gracias, pero nos vamos a casa sin
cenar. Buenas noches.

TENER GANAS [3]

Nadie tiene ganas de cenar menos Alberto.
Los muchachos y también Lucía y la señora de
Vargas tienen ganas de dormir. Alberto no
15 tiene ganas de acostarse. Después de cenar,
como de costumbre, con mucho apetito, entra
en su habitación para leer y escribir cartas [4]
hasta la medianoche. En la otra casa, la casa
blanca, nadie tiene ganas de cenar tampoco;
20 pero todos cenan algo, menos Luisa, quien se
acuesta inmediatamente.* Se duerme [5] en menos de diez minutos. Manuel, después de la
cena, lee y escribe como de costumbre. Para no
tener ganas de dormir temprano, toma mucho

---

[1] **acostado,** lying down. [2] **levantándose,** getting up.
[3] **tener ganas,** to feel like. [4] **carta,** letter. [5] **dormirse,** to go
to sleep; **se duerme,** goes to sleep.

café. Así puede trabajar hasta las dos de la mañana. Al contrario, su mujer se acuesta inmediatamente después de la cena, y se duerme sin perder tiempo.

PONERSE [1] (SE PONE — SE PONEN)

El día siguiente es domingo.[2] No hay que 5 levantarse temprano los domingos como los otros días de la semana.[3] El domingo cada cual se pone lo mejor [4] que tiene. Los muchachos se ponen su mejor traje.[5] Las muchachas y las señoras se ponen su mejor vestido.[6] Pedro y 10 Pablo se ponen un traje azul [7] y un sombrero [8] del mismo color. A Luisa le gusta ponerse un vestido amarillo y un sombrero del mismo color. Su madre se pone un vestido verde y un sombrero también verde. Alberto no tiene traje 15 nuevo [9] que ponerse los domingos. Se pone el mismo traje de toda la semana; pero Manuel, como es rico, nunca se pone el mismo traje. Su mujer tampoco se pone el mismo traje todos los días. 20

DAR UN PASEO [10]

Por la tarde Alberto, Manuel y el señor Vargas salen a dar un paseo. Dan un paseo siempre

---

[1] **ponerse,** to put on; **se pone,** puts on. [2] **domingo,** Sunday. [3] **semana,** week. [4] **lo mejor,** the best. [5] **traje,** suit. [6] **vestido,** dress. [7] **azul,** blue. [8] **sombrero,** hat. [9] **nuevo,** new. [10] **dar un paseo,** to take a walk.

que pueden. Les gusta mucho andar a pie [1] los
domingos para tomar el sol [2] y ver a la gente [3] que
va y viene por las calles. Dan un paseo largo de
tres horas. A las señoras no les gustan mucho
5 los paseos a pie.[4] Les gustan los paseos en auto.
Sin embargo, el domingo por la tarde dan un
paseo corto [5] de una hora. Salen a la plaza para
oír la música. A las mujeres les gusta ver y ser
vistas.[6] Oyen unas tres o cuatro piezas tocadas [7]
10 por una banda * militar,* y luego vuelven a
casa para descansar. Esto es lo que hacen casi
todos los domingos de primavera.

QUITARSE [8] (SE QUITA — SE QUITAN)

Pablo, José y Pedro vuelven a la casa blanca
después de haber dado un paseo largo. Les
15 gusta mucho pasearse [9] todos los domingos por
la tarde. Hoy han dado un paseo de tres horas.
Han andado [10] por todas las calles principales *
de la ciudad [11] después de haber oído la banda
militar. Cuando llegan a casa, se quitan el som-
20 brero y el traje nuevo, y se ponen un traje
viejo. Se quitan el traje nuevo porque van a
jugar en el patio, a correr y a sentarse en el

[1] **andar a pie**, to walk. [2] **tomar el sol**, to get out into the
sunshine. [3] **gente**, people. [4] **paseo a pie**, walk; **paseo en
auto**, automobile ride. [5] **corto,** short. [6] **visto,** seen. [7] **piezas
tocadas,** pieces played. [8] **quitarse,** to take off; **se quita,** takes
off. [9] **pasearse,** to stroll around. [10] **han andado,** they have
walked. [11] **ciudad,** city.

suelo.[1] José no se quita su traje, porque no está
en su casa. Además, su traje no es tan nuevo
ni tan bueno como el de los otros muchachos.
Las señoras también se quitan el vestido de calle
y se ponen el vestido de casa. Sólo la señora de 5
Vargas, quien espera [2] a su marido para salir
otra vez a la calle, no se quita su vestido. Sólo
se quita el sombrero.

QUEDARSE [3] (SE QUEDA — SE QUEDAN)

Al poco rato [4] vuelven los señores. No tienen
necesidad de llamar a la puerta porque está 10
abierta. Entran y se sientan a descansar en el
patio, donde los esperan las señoras. Al poco
rato la señora de Vargas dice a su marido: —
Julián, ya es hora de salir a hacer una visita *
en casa de los Guevara. — Bueno, María — 15
contesta él, — vamos; ya he descansado bastante.[5] — ¿ No quieren venir ustedes con nosotros ? — pregunta la señora de Vargas. — No,
María, muchas gracias. Yo me quedo aquí descansando — contesta Conchita. — Yo voy con 20
ustedes — dice Luisa. — Nosotros nos quedamos — dicen Pablo y Pedro al mismo tiempo;
también se queda José con nosotros. — En el

[1] suelo, ground, floor. [2] esperar, to wait for. [3] quedarse,
to remain. [4] al poco rato, after a little while. [5] bastante,
enough.

patio se quedan hablando Alberto, Manuel, Lucía y Conchita. Los muchachos no se quedan
allí largo tiempo. Al poco rato salen a la calle.

UNA VISITA

Al poco rato alguien llama a la puerta. Como
5 la puerta está abierta, los que están sentados en
el patio pueden ver muy bien quien es, o más
bien [1] quienes son, porque son varias personas.
Son viejos amigos y vecinos [2] de la familia
Pardo. Son el señor Raúl Roldán y Vera, su
10 esposa,[3] sus dos hijas y su hijo. Ni el señor
Roldán ni su esposa son jóvenes.[4] Ya son
bastante viejos. Él es alto, fuerte, de unos
sesenta y cinco (65) años de edad; ella es
baja,[5] algo gorda,[6] mayor que él. Sus dos
15 hijas ya no son jóvenes. Ambas pasan de [7]
los treinta y cinco (35) años. El hijo es el
menor de la familia. No ha llegado aún a los
treinta años. Es alto, como su padre, pero más
gordo que él. Tiene muy buen cuerpo,[8] y las
20 mujeres en general le consideran * bastante
guapo.[9] Él también se considera muy guapo.
Es un verdadero [10] Don Juan, y éste es en

---

[1] **más bien,** rather. [2] **vecino,** neighbor. [3] **esposa,** wife.
[4] **joven,** young. [5] **bajo,** low, short. [6] **algo gordo,** rather stout.
[7] **pasan de,** are past. [8] **cuerpo,** body, figure. [9] **guapo,** good-
looking. [10] **verdadero,** real, true.

verdad su nombre: Juan Roldán y Terry. El
padre es español; la madre es inglesa. Juan
habla perfectamente el inglés y el español.
También sus hermanas hablan perfectamente
los dos idiomas.[1] Su madre siempre les ha 5
hablado en inglés y les ha leído muchos libros
en ese idioma. Sus hermanas no son tan guapas
como él. Sin embargo,[2] la menor de ellas,
llamada Emilia, es aún bastante guapa. Ambas son bajas de cuerpo; la mayor de ellas es 10
un poco gorda como la madre. No son ni ricos
ni pobres; tienen lo bastante para vivir bien.
Visten[3] y comen bien; tienen un automóvil
grande, un buen radio, un piano magnífico *
y buenos muebles.[4] La casa donde viven no es 15
suya. Han vivido en ella casi treinta (30)
años y la consideran como suya. La madre
habla el inglés mucho mejor que el español.
Hace más de treinta años que vive en [5] España,
pero su pronunciación,* aunque agradable,* 20
es extranjera.[6] Sin embargo, habla correctamente,* y todo el mundo [7] la entiende. Al contrario, el señor Roldán, su marido, habla el
inglés bastante mal. Su pronunciación es
desagradable,* y los ingleses apenas pueden 25

[1] idioma, language.   [2] sin embargo, nevertheless.   [3] ves-
tir(se), to dress; visten, they dress.   [4] muebles, furniture.
[5] hace más de . . . que vive en, she has been living in : ; . for
more than.   [6] extranjero, foreign.   [7] todo el mundo, everybody.

entenderle. **Conoció**[1] a su mujer en Inglaterra donde vivió[2] un año.

— Pasen ustedes — les grita Conchita al
verlos a la puerta. Todos se levantan para
5 saludarlos con toda cortesía* y verdadero
cariño.[3] — ¡Qué sorpresa[4] tan agradable!
¡Qué gusto de verlos! Hace ya más de un mes
que no vienen a visitarnos.

LA CONVERSACIÓN

— Siempre he tenido gran placer[5] en venir
10 a visitar a ustedes — dice la señora de Roldán. — Pero mis dos hijas han estado muy
enfermas. Hace sólo una semana que están[6]
más o menos bien de salud. Pronto vamos a
hacer un viaje, y no hemos querido salir de
15 Sevilla sin decirles adiós.

Cuando Pablo y Pedro oyen hablar de viajes,[7] se sientan junto a[8] las hijas de la señora
de Roldán para no perder una sola palabra de
su conversación.

20 Trinidad es la mayor, y se parece[9] mucho a
su madre. Emilia es la menor, y se parece

---

[1] conocer, to know; conoció, met. [2] vivir, to live; vivió, lived. [3] cariño, affection, fondness. [4] sorpresa, surprise. [5] placer, pleasure. [6] hace sólo una semana que están, only for about a week have they been. [7] oyen hablar de viajes, hear a trip spoken of. [8] junto a = al lado de, near. [9] se parece, resembles.

mucho a Juan. El señor Roldán no se parece
a ninguna de ellas.

Las dos señoritas han vivido en Inglaterra y
han viajado varias veces por toda Europa. A
los dos muchachos les parece [1] esto interesante.* 5

— Este verano [2] — dice Trinidad — pensamos ir [3] con Juan a los Estados Unidos. Nunca
hemos estado en ese país tan interesante, y
tenemos muchas ganas de quedarnos en él
varios meses para conocerlo bien. 10

— ¿ Ha estado usted alguna vez [4] en los
Estados Unidos? — pregunta Pablo a Juan,
lleno [5] de admiración.

— Sí, sí, hombre — le contesta Juan. — He
vivido en los Estados Unidos casi todo un año. 15
Es un país muy diferente de España, y aun de
Inglaterra. Es el país de las sorpresas.* Me
gusta mucho.

— Pero los yankis * hablan inglés ¿ no es
verdad? 20

— Sí, hablan inglés, es verdad; pero lo
hablan a su modo.[6] La pronunciación de
Nueva York es muy diferente de la de Londres
donde yo aprendí el inglés. La pronunciación
de Boston se parece a la de mi madre y la mía. 25
Es fácil [7] para mí entenderla. La pronuncia-

---

[1] parece, seems. [2] verano, summer. [3] pensamos ir, we intend to go. [4] alguna vez, ever. [5] lleno, full. [6] a su modo, in
their own way. [7] fácil, easy.

ción de Chicago es muy diferente de la de
Boston, y también muy diferente de la de
Nueva Orleáns. Para mí ha sido difícil [1] en-
tender ciertas palabras en esta ciudad.

5 — Pasa lo mismo [2] aquí en España — dice
la señora de Roldán, quien ha estado oyendo [3]
atentamente a su hijo. — En Castilla se habla [4]
de un modo, en Andalucía de otro y en Galicia
de otro. Cada provincia * parece tener su
10 acento * distintivo.* A mí me gusta mucho el
acento de ciertas regiones * de la América
española en donde el idioma se ha conservado [5]
perfectamente, aunque con distinta entona-
ción.* A los americanos los entiendo mejor
15 que a algunos gallegos y asturianos.*

— Yo quiero aprender el inglés de América.

— Y yo quiero aprender el de Inglaterra,
porque es mejor — dice Pedro.

— No es mejor ni peor — contesta Juan.
20 — Es sólo diferente.

— Es verdad — dice la señora de Roldán.
— Las personas bien educadas hablan el inglés
correctamente en todas partes y se entienden
perfectamente unas a otras. Las diferencias *
25 en el idioma sólo se observan [6] en el habla [7] de

---

[1] **difícil,** difficult. [2] **pasa lo mismo,** the same thing happens.
[3] **oyendo,** listening (hearing). [4] **se habla = hablan.** [5] **se ha
conservado = ha sido conservado.** [6] **se observan,** are ob-
served. [7] **habla,** speech.

las personas de la clase baja. Eso mismo pasa
con el español. Un argentino * y un castellano
se entienden perfectamente. En las escuelas de
México, de Cuba, del Perú y de todas las repúblicas * de la América se enseña [1] el castellano. 8
— Es verdad, madre — dice Juan. — Cuando
un mexicano,* cubano * o argentino viene por
primera vez a España, su acento nos parece
muy diferente del nuestro, pero después de un
año o dos de vivir en Madrid, pierde [2] el acento 10
de su región y habla casi como nosotros.

EL VIAJE

Manuel ha hablado largamente [3] con Juan
Roldán. Han hablado de su viaje a los Estados
Unidos. Manuel tiene también muchas ganas
de conocer el gran país de Norte América, 15
pero a su mujer no le gustan los viajes largos.
No le gusta salir de España durante el verano.
Además no le gustan los viajes por mar.[4]
Quiere ir a San Sebastián este verano para
visitar a sus padres,[5] a quienes no ha visto 20
desde hace [6] dos años. Manuel apenas conoce a
los padres de su mujer. Los ha visitado sólo
cuatro veces en su vida.[7] Le gusta vivir lejos
de ellos. Conchita ha recibido [8] varias cartas du-

---

[1] **se enseña,** they teach.   [2] **perder,** to lose; **pierde,** loses.
[3] **largamente,** at great length.   [4] **mar,** sea.   [5] **padres,** parents.
[6] **desde hace,** for (since).   [7] **vida,** life.   [8] **recibido,** received.

rante la primavera en las que su padre le habla de
la mala salud de su madre. La señora ha estado
enferma toda la primavera de este año, y está
cada día peor. Por esta razón Conchita quiere
5 salir de Sevilla para San Sebastián el cinco de
junio. Hoy estamos a dos [1] de junio.

Juan Roldán le ha dicho [2] a Manuel que
quiere llevar a los dos muchachos a los Estados
Unidos. Desea salir del puerto [3] de Gibraltar el
10 siete de junio. No hay tiempo que perder.

— El inglés es un idioma indispensable — le
ha dicho Roldán a Manuel, — y este viaje les
será [4] de gran utilidad * a los dos muchachos
para aprenderlo. Mis hermanas y yo hablare-
15 mos siempre en inglés durante el viaje.

— Tiene usted razón [5] — le ha contestado
Manuel. — Mis dos hijos deben [6] aprender el
inglés ahora que son jóvenes. Cuando uno es
joven, aprende los idiomas muy fácilmente. Yo
20 le daré a usted todo el dinero necesario para el
viaje de mis dos hijos; y además, deseo tener
el gusto de pagarle [7] a usted por el gran favor
que me hace en llevarlos. Deseo tener el gusto
de pagarle a usted su viaje. No tendrá [8] usted
25 otros gastos [9] que los personales.[10]

---

[1] **hoy estamos a dos,** today is the second. [2] **dicho,** said,
told. [3] **puerto,** port. [4] **les será,** will be for them. [5] **tiene
usted razón,** you are right. [6] **deber, deben,** must, should.
[7] **pagarle,** pay you. [8] **no tendrá,** will not have. [9] **gastos,** expenses. [10] **que los personales,** except personal ones.

Manuel insiste,* y Juan Roldán tiene que aceptar cuando aquél[1] le repite varias veces: — No hay bastante dinero en el mundo para pagarle a usted por su bondad.[2] Lo que le doy ahora no es nada en comparación * con el gran 5 favor que usted nos hace.

El día cinco de junio por la noche, Manuel, Conchita y Luisa salen de Sevilla para San Sebastián; y ese mismo día, casi a la misma hora, salen Juan Roldán, sus dos hermanas, 10 Pedro y Pablo para el puerto de Gibraltar.

El señor Roldán y su señora se quedan en Sevilla hasta el dos de julio. Ese día salen de Sevilla para Inglaterra. Allí pasarán[3] casi todo el verano. 15

Alberto se queda en Sevilla trabajando hasta el cuatro de agosto.* Después sale de Sevilla con Lucía, Lolita y José para el norte de España. Pasan dos semanas en un pueblo[4] del norte, no muy lejos de San Sebastián, 20 porque el pobre Alberto sólo tiene dos semanas de vacaciones.*

[1] **aquél,** the former. [2] **bondad,** kindness. [3] **pasarán,** will spend. [4] **pueblo,** town.

IDIOMS USED IN THE TEXT

(Listed in order of occurrence)

1. **Tienen que estudiar poco.** They have to study little.
2. **Pablo tiene catorce años.** Paul is fourteen years old.
3. **Hay que ir a la escuela todos los días.** One has to go to school every day.
4. **¿Cómo se llama el maestro?** What is the teacher's name?
5. **porque tiene hambre,** because he is hungry.
6. **¿Qué tienen ustedes?** What is the matter with you?
7. **Va de casa en casa.** He goes from house to house.
8. **Se desayuna café y pan.** He has coffee and bread for breakfast.
9. **llegar a tiempo,** to arrive on time.
10. **Ella tiene buena letra.** She writes a good hand.
11. **¿Tienes miedo?** Are you afraid?
12. **al contrario,** on the contrary.
13. **algo de vino,** a little wine.
14. **A Lolita le gusta.** Lolita likes it.
15. **Hace mucho calor.** It is very hot.
16. **de mucho sol,** very sunny.
17. **Entran corriendo.** They come running in.
18. **Los sábados no hay clases.** On Saturdays there are no classes.
19. **Dan de comer a Choto.** They feed Choto.
20. **No hace más que leer.** He does nothing but read.
21. **Dan de beber a Choto.** They give Choto a drink of water.
22. **¿Qué hora es?** What time is it?
23. **¿Qué puede pasar?** What can happen?
24. **Tengo sed.** I am thirsty.
25. **Es de noche.** It is after dark.
26. **por fin,** finally
27. **¿Hay novedad?** Has anything happened?
28. **dar un paseo,** to take a walk.
29. **andar a pie los domingos,** to walk on Sundays.
30. **o más bien,** or rather.
31. **Hace más de treinta años que vive en España.** He has been living in Spain for more than thirty years.
32. **Oyen hablar de viajes.** They hear a trip spoken of.
33. **¿No es verdad?** Isn't that so? Don't they?
34. **Hoy estamos a dos de junio.** Today is the second of June.
35. **Tiene usted razón.** You are right.

46

Sigamos leyendo

EIGHT SPANISH STORIES

RETOLD AND EDITED

BY

CARLOS CASTILLO
The University of Chicago

AND

COLLEY F. SPARKMAN
Belhaven College

Adding 256 words and **39** idioms of high
frequency to the 388 basic words and
35 idioms used in *De todo un poco.*
Total: 644 words and **74** idioms

BOOK TWO

D. C. HEATH AND COMPANY
BOSTON

TO THE TEACHER

THE STORIES of *Sigamos leyendo* are adaptations of stories taken mainly from the works of Agustín Rojas, Antonio de Trueba, Fernán Caballero, Fernández Juncos, and García del Real. The philosophic story, the folk tale, the animal fable, and the legend are all represented. It is hoped that the rewriting of these stories under self-imposed vocabulary and syntactical restrictions has not marred altogether the charm of the original versions.

The technique followed is the same as that used in *De todo un poco:* (*a*) a limited number of new words to the page; (*b*) repetition of new words and of new constructions; (*c*) annotation at the foot of the page of each new word at its first occurrence; (*d*) starring of obvious cognates at their first occurrence; (*e*) the use of simple but idiomatic Spanish throughout.

Words used in *De todo un poco* are not considered *new* words; and, unless they are used in a new sense, they are not ordinarily defined in the footnotes. Occasionally a word of low frequency, used too few times or too long ago in the first booklet, is annotated again. All irregular verb forms are given in the end-vocabulary. Starred cognates are also included in the vocabulary when there is any doubt about their meaning being inferable.

The following vocabulary analysis on page iv shows the distribution frequency of both new and old basic words:

Rank	Number of New Words	Number of Words Used in Book I	Total
From the Approximate 250 Common Words Eliminated by Buchanan	28	93	121
From the 1st 500	98	92	190
" " 2d 500	50	17	67
" " 3d 500	31	15	46
" " 4th 500	15	4	19
" " 5th 500	9	2	11
" " 6th 500	8	1	9
" " 7th 500	1	1	2
" " 8th 500	7	1	8
" " 9th 500	3	0	3
" 11th–14th 500	3	0	3
Not in Buchanan List	3	0	3
	256	226	482

TO THE STUDENT

In order that your reading of *Sigamos leyendo* (Let's Keep on Reading) may be more of a pleasure than a task, we call your attention to the following:

(1) A Spanish word may differ from its English equivalent in one or two letters only: *respeto* (respect), *entusiasmo* (enthusiasm). (2) There are practically no doubled consonants in Spanish. You will not find *dd*, *ff*, *gg*, *mm*, *pp*, *ss*, *tt*, *zz*: *aparente* (apparent), *paso* (pass). (3) Nouns in *–dad* or *–tad* correspond to English nouns in *–ty*: *curiosidad* (curiosity). (4) Adverbs in *–mente* correspond to English adverbs in *–ly*: *completamente* (completely). (5) The suffix *–ísimo* means *very* or *exceedingly*: *muchísimo* (very much), *altísimo* (exceedingly high). (6) The two past tenses, the past descriptive and the past absolute, are frequently used in this text. The former describes situations of the past, and the latter tells what happened.

iv

SIGAMOS LEYENDO

¿QUÉ ES LA VIDA?

UN HOMBRE muy rico y muy inteligente* llamado
Felipe el Bueno se paseaba una noche con algunos
amigos suyos. Estando ya cerca de su casa vió un
hombre acostado en medio de la calle. Él y sus
amigos se acercaron[1] para ver si aquel hombre 5
estaba muerto.[2] Uno de ellos le tocó[3] y le habló
varias* veces, pero el hombre no respondió.[4] Parecía muerto.

Felipe el Bueno se acercó más aún al pobre, le
miró[5] la cara, vió que tenía los ojos cerrados[6] y oyó 10
que respiraba[7] con gran dificultad.*

— No, amigos míos; este pobre no está muerto.
Está profundamente* dormido, porque ha bebido
demasiado[8] vino. Hay que darle una buena lección
a él, y al mismo tiempo nosotros vamos a aprender 15
lo que es la vida. Ayudadme,[9] amigos míos, a
levantar a este miserable.*

Dicho y hecho.[10] Felipe el Bueno y sus amigos

---

[1] **acercarse,** to approach. [2] **muerto,** dead. [3] **tocar,** to
touch. [4] **responder = contestar.** [5] **mirar,** to look at; **le
miró la cara,** looked at his face. [6] **ojos cerrados,** eyes closed.
[7] **respirar,** to breathe. [8] **demasiado,** too much. [9] **ayudar,** to
help. [10] **dicho y hecho,** no sooner said than done.

1

levantaron al que parecía muerto, le llevaron a casa de Felipe, y allí le acostaron en la cama[1] de éste. Le quitaron su traje sucio,[2] le lavaron[3] la cara, las manos y casi todo el cuerpo, le perfumaron,* y
5 después le pusieron una camisa limpia,[4] muy fina.*

El hombre no despertó.[5] Estaba tan profundamente dormido que no abrió los ojos una sola vez mientras le perfumaban y le ponían la camisa
10 limpia.

Felipe el Bueno y sus amigos se salieron de la habitación dejándole[6] dormido en aquella magnífica* cama. A la mañana siguiente, entraron en la habitación, le despertaron y le saludaron con mucha
15 cortesía.*

El hombre los miraba desde la cama sin saber qué pensar. Tenía los ojos muy abiertos y miraba por todas partes.* Felipe el Bueno y sus amigos le preguntaron varias veces de qué color quería ves-
20 tirse, o cuál de sus muchos trajes deseaba* ponerse; pero él no les respondió. Parecía no oírlos.

Miraba a todos con la boca[7] abierta, lleno de admiración.[8] Miraba también a uno y otro lado de aquella magnífica cama, la tocaba por todas partes,
25 se tocaba la camisa limpia, se tocaba su propio[9] cuerpo. De repente[10] miró por la ventana,[11] y viendo

---

[1] **cama,** bed.   [2] **sucio,** soiled, dirty.   [3] **lavar,** to wash.
[4] **camisa limpia,** clean shirt.   [5] **despertar,** to awake(n).   [6] **dejar,** to leave.   [7] **boca,** mouth.   [8] **admiración,** astonishment.
[9] **propio,** own.   [10] **de repente,** suddenly.   [11] **ventana,** window.

a lo lejos su casita miserable, a su hijo Bartolito que jugaba cerca de ella, y a su mujer Toribia que estaba a la puerta trabajando, exclamó*:

— ¡ Ay, Dios mío !¹ ¿ no es aquél mi hijo ? ¿ no es aquélla mi mujer ? ¿ no es aquélla mi casa ? ¿ qué 5 hago aquí ? ¿ quién soy ? ¿ quién me ha puesto en esta casa ?

Felipe el Bueno y sus amigos le ayudaron a vestirse. Le pusieron el traje más fino que pudieron encontrar, le hicieron sentarse y desayunarse con 10 ellos. Después del desayuno, le enseñaron² toda aquella magnífica casa, hablándole siempre con la mayor cortesía, quitándose el sombrero en su presencia,* y contestando a sus preguntas con el más profundo* respeto.* 15

Cuando vino la noche, le dieron una cena excelente* y bastante vino para volverle al estado³ en que le habían encontrado el día anterior.⁴ Con el mucho vino, perdió la cabeza y se quedó otra vez profundamente dormido. 20

Entonces⁵ Felipe el Bueno y sus amigos le quitaron el traje fino y le pusieron el sucio; le sacaron de la casa y le llevaron al mismo sitio en que le habían visto la noche anterior. Le dejaron allí acostado en medio de la calle profundamente dormido. Pa- 25 recía muerto.

Al poco tiempo, Felipe el Bueno y sus amigos

¹ **Dios,** God; **¡ Ay, Dios mío !** Oh my goodness! ² **enseñar,** to show. ³ **estado,** state. ⁴ **anterior,** previous. ⁵ **entonces,** then.

3

volvieron para despertarle. El pobre se sentó, abrió los ojos y miró a uno y otro lado. ¿ Dónde estaba aquella habitación tan agradable ?* ¿ Dónde estaba aquella camisa tan fina ? ¿ Dónde estaba aquella
5 cama ? Tocaba el suelo con las manos; se tocaba la cabeza; se tocaba el cuerpo.

Felipe el Bueno le preguntó quién era, y el pobre le contestó:

— Señor, me han pasado tantas cosas en dos horas
10 que no sé[1] quién soy. Salí de mi casita hace unas dos horas, bebí un poco de vino, me quedé dormido aquí, y en este tiempo he soñado[2] que yo era un gran señor muy rico, que tenía muchos trajes finos, que dormía en una cama magnífica, que comía y bebía
15 muy bien, que me paseaba por una casa grande, que todos me hablaban con la mayor cortesía, que todos contestaban a mis preguntas con el sombrero en la mano. Sí, yo era el hombre más importante* del mundo y estaba muy contento*; pero ahora veo
20 claramente* que todo ha sido un sueño[3] agradable. ¡ Soy un miserable !

Entonces Felipe el Bueno dijo:

— Amigos míos, esto es el mundo; esto es la vida: todo es sueño. Lo que ha pasado a este hombre ha
25 sido verdadero. Nosotros lo hemos visto, pero a él le parece un sueño.

Adapted from AGUSTÍN ROJAS

---

[1] saber: no sé, I do not know. [2] soñar, to dream. [3] sueño, dream, sleep.

4

EL RICO Y EL POBRE

I

Éste era[1] un caballero[2] de Madrid, llamado Juan Lozano, quien tenía tanto dinero que no sabía qué hacer con él. Sin embargo, no era feliz.[3]

Don Juan Lozano vivía en la calle de Atocha en una casa magnífica. Tenía muebles finos, cuadros[4] 5 excelentes de los mejores maestros españoles, ingleses e[5] italianos*; una rica biblioteca[6] donde se encontraban los libros más raros* y curiosos* del mundo; muchos criados[7] y muchos amigos. Sin embargo, no era feliz. 10

Enfrente* de la casa de don Juan vivía un zapatero[8] llamado Perico, quien apenas tenía lo bastante para vivir pobremente; y sin embargo, era feliz.

Perico no tenía muebles finos, ni cuadros exce- 15 lentes, ni biblioteca de libros raros y curiosos, ni criados, ni más de tres o cuatro amigos tan pobres como él. Tenía una mujer, aunque buena, muy fea[9]; y sin embargo, era muy feliz.

El zapatero estaba todo el día muy alegre[10] can- 20 tando[11] y hablando con su mujer mientras ambos

---

[1] **éste era,** once upon a time there was. [2] **caballero,** gentleman. [3] **feliz,** happy. [4] **cuadro,** picture, painting. [5] **e,** and. [6] **biblioteca,** library. [7] **criado,** servant. [8] **zapatero,** shoemaker; **zapatera,** shoemaker's wife. [9] **feo,** ugly. [10] **alegre,** joyful, merry; **alegría,** joy. [11] **cantar,** to sing; **canto,** song

trabajaban en su pequeña habitación, donde no sólo
hacían zapatos, sino que[1] también comían y dor-
mían.

La alegría de este zapatero, sus cantos y risas[2] a
5 todas horas del día y aun de la noche, llamaron la
atención* de don Juan Lozano, quien tuvo ganas de
saber qué hacía Perico para ser tan feliz.

Una tarde fué don Juan a visitar* al zapatero.
Cuando entró en su habitación, Perico y su mujer
10 cantaban y se reían[3] aun más alegres que de costumbre; pero al ver al caballero, ambos se levantaron
para recibirle* con toda cortesía.

— Buenos días le dé Dios, señor don Juan — le
dijeron ambos a una voz.

15 — ¿ Cómo está usted ? — le preguntó el zapatero,
quitándose el sombrero.

— Muy mal, hombre; como siempre muy mal —
le contestó don Juan.

Y al decir esto miró que Pepa, la mujer de Perico,
20 era muy fea, y que la habitación donde vivían era
aun más fea.

— ¡ Qué horror ! — pensó, y se volvió atrás.[4] —
Hombre, ¿ cómo pueden vivir ustedes en esta habitación tan negra, sin buena luz ni aire* fresco ?

25 — ¡ Caramba ![5] No diga usted eso, señor don
Juan. ¿ Mala esta habitación ? Es la mejor de su
clase* en todo Madrid, y jamás[6] hemos tenido otra

---

[1] sino (que), but. [2] risa(s), laughter. [3] reírse, to laugh.
[4] atrás, back; se volvió atrás, turned back. [5] ¡ caramba !
gracious ! [6] jamás, never.

6

mejor.   Pregúnteselo usted a mi Pepa, que es mujer
de buen gusto.

— Perico tiene razón — contestó la zapatera.
— Esta habitación es la mejor de su clase, y estamos
muy contentos con ella.   5

— Pero . . . ¿ y esos muebles tan feos ?

— ¡ Caramba ! No diga usted eso, mi señor don
Juan. ¿ Feos estos muebles ? Son pobres, pero muy
cómodos.¹ Son los más cómodos de su clase. Si no,²
mire usted esa cama. Hágame el favor de³ tocarla. 10

— ¡ Ay, por Dios ! ¡ Qué cama ! No sé cómo
pueden ustedes dormir en ella.

— Es la mejor de su clase — dijo el zapatero.

— Es la verdad, señor don Juan — dijo la zapatera.

— Será lo que ustedes quieran,⁴ pero lo que yo no 15
puedo entender es cómo están ustedes tan alegres
y con tantas ganas de reírse y cantar a todas horas.

— Cuando uno tiene buena salud, aunque no
tenga dinero, está alegre, si en la familia hay cariño.
Y si está uno alegre, es natural que cante y se ría.   20

— ¿ Y ustedes cuánto dinero ganan⁵ al día ?

— Ganamos bastante, señor don Juan. Entre los
dos ganamos dos pesetas brillantes* como dos soles.

— Hombre, ¡ qué miseria ! *

— ¡ Cómo ! ¿ miseria llama usted a dos buenas 25
pesetas brillantes como dos soles ? Yo le digo a
usted, señor don Juan, que esas dos pesetas no sólo

---

¹ **cómodo,** comfortable.   ² **si no,** if you don't believe (it).
³ **hágame el favor de,** please.   ⁴ **será lo que ustedes quieran,**
be that as it may.   ⁵ **ganar,** to earn.

7

nos dan lo bastante para vivir, sino que además nos
dan para comprar tabaco* y vino.

— A ver[1] ese tabaco y ese vino — dijo don Juan.

— Aquí tiene usted[2] el tabaco — contestó el
5 zapatero.—Voy a hacerle a usted un cigarrillo.*
Aquí lo tiene usted.

— ¡ Qué cosa más sucia ! — dijo don Juan, metiéndose[3] el cigarrillo en la boca. — Esto no es tabaco.

— ¡ Caramba ! No diga usted tal cosa. ¿ Sucio
10 este tabaco ? Es el mejor de su clase. No lo hay
mejor en la Habana.

— A ver el vino, hombre.

— Aquí tiene usted el vino — contestó la zapatera.
— Vino como éste no lo encuentra usted en todas
15 partes. Beba, señor don Juan.

— ¡ Qué cosa más desagradable !* Peor que
agua.

— ¿ Peor que agua ? No diga usted eso. Este
vino es el mejor de su clase. A nosotros no nos gusta
20 otro.

Don Juan Lozano se quedó un gran rato pensando,
y luego habló así:

— Amigo Perico, Dios hizo el cielo[4] para los buenos y el infierno[5] para los malos, ¿no es verdad ?
25 — Sí, señor; eso dicen.

— Pues yo te digo que los malos no sufren[6] tanto
en el infierno porque no han conocido el cielo.

[1] a ver, let's see. [2] aquí tiene usted, here is. [3] meter, to
put (into). [4] cielo, heaven, sky. [5] infierno, hell. [6] sufrir, to
suffer.

8

Con estas palabras, no entendidas por el zapatero y la zapatera, se despidió[1] don Juan. Ellos, tan pronto como salió el caballero, comenzaron a reírse y a trabajar con la misma alegría de antes.

II

Don Juan Lozano era cada día menos feliz. Cada 5 vez que oía cantar a Perico y su mujer, se sentía,[2] por contraste,* peor que antes. Y como las risas de Perico y Pepa se oían todos los días, y a todas horas del día y aun de la noche, don Juan perdió la paciencia.* 10

El día en que éste perdió la paciencia, Perico estaba más alegre que nunca.

— ¡ Caramba ! exclamó don Juan. — Esto es ya demasiado reírse y cantar. Voy a ver si a ese zapatero le gusta el infierno después de haber estado 15 en el cielo. — Pensando en esto bajó a la calle y se fué a casa del zapatero, poniendo la cara más alegre que pudo.

— Señora Pepa, — dijo a la zapatera — vengo[3] a visitar a ustedes con una intención* que no va a 20 gustarle. Usted va a ponerse de mal humor.[4]

— ¿ Yo de mal humor ? Eso nunca. Ya sabe usted que yo nunca me pongo de mal humor — contestó la zapatera con cara de risa.[5] — Ni Perico ni yo conocemos el mal humor. 25

---

[1] **despedirse,** to take leave. [2] **sentirse,** to feel. [3] **venir: vengo,** I come. [4] **ponerse,** to become; **ponerse de mal humor,** to be vexed. [5] **cara de risa,** smiling face.

— Así es — dijo el zapatero, también con cara de risa.

— Mañana es domingo — continuó* el caballero.

— Quiero que Perico lo pase conmigo enseñándome
5 a ser feliz. Nadie mejor que él para darme lecciones
en el arte * de vivir alegremente. Quiero aprender
a reírme.

— ¡ Caramba ! — exclamó Perico. — ¿ Todo el día
sin ver a mi mujer ?

10 — ¡ Caramba ! — exclamó casi al mismo tiempo
Pepa. — ¿ Todo el día sin ver a mi marido ?

— Es un gran favor que van ustedes a hacerme,
y yo se lo pagaré lo mejor posible.* A Perico le
trataré[1] como a un hermano. En mi casa comerá
15 lo que yo coma; beberá el mismo vino que yo beba;
y dormirá en una cama tan buena como la mía.
Usted, señora Pepa, me hará el favor de aceptar*
estas veinticinco (25) pesetas.

— Gracias, muchísimas gracias, señor don Juan.
20 ¡ Cuándo me he visto yo con tanto dinero !

III

El domingo Perico se levantó muy temprano, se
puso una camisa limpia y el traje sucio de costumbre,
porque no tenía otro. Le dió un beso[2] a su mujer y
se fué a casa de don Juan Lozano. Uno de los criados
25 le recibió con gran cortesía y le hizo subir a la habitación de don Juan Lozano. Pasó por unos salones[3]

---

[1] **tratar,** to treat. [2] **besar,** to kiss; **beso,** kiss. [3] **salón,**
reception room.

10

cuyos magníficos muebles y excelentes cuadros le llenaron[1] de admiración.

El caballero se levantó de su silla[2] para dar la mano a Perico, y le hizo sentarse junto a él.

— Amigo Perico, — le dijo, hablándole en tono* familiar — es necesario que hoy vistas,[3] comas y bebas como un caballero. ¿ Tienes ganas de desayunarte ? — Y sin esperar respuesta[4] le llevó a una habitación muy bella donde se veía una cama y otros muebles finísimos.

— Aquí tienes tu cuarto, y en aquel otro cuarto estará tu criado particular. Él te ayudará a vestirte para el desayuno. Aquí encontrarás varios trajes.

Al momento* entró el criado particular, quien sin decir una sola palabra, pero con gran respeto, le lavó, le puso una camisa finísima,* le perfumó y le dió un reloj de oro.[5]

— Estoy a las órdenes* de su Excelencia* — dijo el criado, haciendo una profunda reverencia,[6] y luego salió andando hacia atrás.

— ¿ Yo ... Excelencia ? — pensó el zapatero. — Esto es el cielo. ¡ Qué habitación más bella ! ¡ Qué cama tan cómoda ! ¡ Qué bien me siento[7] aquí !

Entró de repente don Juan, y al ver a Perico vestido de caballero tuvo ganas de reírse, pero no se rió.

— ¿ Ves, hombre, ves como ya eres un caballero ? La diferencia* entre un zapatero y un caballero

---

[1] **llenar,** to fill. [2] **silla,** chair. [3] **vestir: vistas,** you dress. [4] **respuesta,** answer, reply. [5] **oro,** gold. [6] **reverencia,** bow. [7] **sentirse,** to feel; **me siento,** I feel.

11

está sólo en el traje. Ahora vamos a tomar el café.*
Son las nueve de la mañana. Comeremos al mediodía,
luego iremos a dar un paseo hasta la hora de cenar
que será a las siete y media.

5 Con el café, don Juan le dió a Perico un cigarro*
de la Habana.*

— ¿ Qué dices de estos cigarros, amigo Perico ? —
le preguntó.

— Buenos, muy buenos; es lástima[1] que no se
10 puedan comer.

IV

Don Juan y Perico volvieron de su paseo a las
siete y media.

— ¿ Qué tal, Perico, hay apetito ?*[2] — le preguntó don Juan, llevándole al comedor. Allí se
15 sentaron a la mesa unas dos horas que a Perico le
parecieron dos horas de cielo. ¡ Qué vinos, qué
café, qué cigarros ! ¡ Qué bellas chicas[3] le servían !
Acabada la cena, don Juan le dijo: — Vamos al
teatro[4] para oír algo de música* y canto.

20 Se fueron juntos al teatro Real, y como Perico
nunca había estado en el teatro, todo le pareció
excelente.

Al salir, don Juan saludó a unas señoritas tan hermosas[5] que Perico se quedó con la boca abierta mirán-
25 dolas.

[1] **lástima**, pity. [2] **¿ Qué tal, Perico, hay apetito ?** What
do you say, Perico, are you hungry ? [3] **chica**, girl. [4] **teatro,**
theater, show. [5] **hermoso,** beautiful.

12

— ¿ Te gustan esas chicas ? — le preguntó el caballero.

— Muchísimo — contestó Perico. — ¡ Me las comería vivas ![1]

Era ya la media noche cuando salieron del teatro. 5 Don Juan llevó al zapatero a un excelente restaurante* donde se encontraron otra vez con[2] aquellas hermosas señoritas a quienes el caballero había saludado cerca del teatro.

Allí hubo[3] otra cena, vinos, música, baile[4] y 10 juegos. Perico casi se volvió loco.[5]

A las tres de la mañana volvieron a casa. El criado particular le ayudó a Perico a quitarse el traje y a acostarse en aquella cama tan cómoda, donde se quedó profundamente dormido. 15

V

Perico despertó muy temprano al día siguiente. Tal era su costumbre. Se vistió él mismo sin llamar a su criado particular, pero no se puso el traje fino de caballero, sino su traje sucio de zapatero.

Don Juan no había despertado aún, así es que 20 Perico salió de la casa sin despedirse de él. Pasó por aquellos salones cuyos magníficos muebles y cuadros le habían llenado de admiración el día anterior; pero

---

[1] vivo, alive; me las comería vivas, I could eat them alive. [2] se encontraron ... con, they met. [3] haber: hubo, there was. [4] baile, dance, dancing. [5] loco, crazy; se volvió loco, lost his head (*went crazy*).

13

los criados no le hicieron la menor reverencia al verle
vestido de zapatero. Parecían no verle.

Pepa le recibió con un beso y muchas palabras de
cariño; pero ¡ cosa rara ! su marido no la besó como
5 de costumbre. Sólo recibió el beso de su mujer con
indiferencia.* Ya no le pareció su mujer tan bella,
ni su casa tan agradable.

Su mujer le dijo que el desayuno estaba ya en la
mesa. Perico miró la mesa miserable, y contestó
10 que no tenía ganas de desayunarse. Pepa entonces
le ofreció[1] tabaco. Perico lo tomó y comenzó a hacer
un cigarrillo. Se metió el cigarrillo en la boca, y al
instante* se lo sacó muy aprisa diciendo: — Pepa,
¡ qué cosa tan sucia es este tabaco !

15 — ¡ Caramba ! — le contestó Pepa — es el mismo
que siempre te ha gustado, el mejor de su clase.
¿ Estás enfermo ? ¿ Te ha pasado algo ? Tienes
muy mala cara. Bebe un poco de vino y te sentirás
mejor. Nunca te he visto así; no estás alegre.

20 Pepa le trajo[2] una copa de vino.[3] El zapatero
se llevó la copa de vino a la boca, pero no pudo be-
berlo.

— ¡ Qué vino tan malo ! Peor que agua.

— ¡ Caramba ! No digas eso. Es el mejor de su
25 clase. Es el que siempre hemos bebido. Tú estás
enfermo, Perico mío. Has perdido la alegría. Todo
te parece malo. Voy a hacerte la cama para que te
acuestes. Sueño[4] es lo que necesitas.

---

[1] ofrecer, to offer. [2] traer: trajo, brought. [3] copa de vino
glass of wine. [4] sueño, sleep.

14

— ¡ Ay, qué cama más mala ! — exclamó el
zapatero al acostarse. — No podré dormir en ella.

Y se dice que por mucho tiempo don Juan Lozano
no oyó las risas y el canto del zapatero.

Adapted from ANTONIO DE TRUEBA

EL ALBAÑIL DE GRANADA

HABÍA hace muchos años un albañil[1] en Granada. 5
Era pobre y tenía una familia* muy numerosa.*
Casi nunca tenía trabajo, y apenas ganaba lo bas-
tante para vivir.

Una noche despertó de su primer sueño al oír
unos golpes[2] que alguien daba a su puerta.   10

— ¿ Quién es ? — preguntó desde su cama.

— Soy yo — contestó una voz de hombre. — Favor
de abrirme[3] la puerta. Traigo un buen negocio[4] para
el albañil.

— ¿ Pero a estas horas de la noche ?   15

— Sí; es un negocio de gran importancia.*

El albañil abrió la puerta y vió a un viejo muy alto,
de cabeza blanca, cara muy larga, ojos pequeños y
brillantes.

— Buen amigo, — le dijo el viejo — me han dicho 20
que eres buen cristiano y muy honrado.* ¿ Quieres

---

[1] **había hace muchos años un albañil,** many years ago there
was a mason. [2] **golpe,** blow, rap. [3] **favor de abrirme,** please
open. [4] **negocio,** business proposition.

15

hacerme un trabajito esta misma noche? Tengo mucha prisa.[1]

— Sí, señor; lo haré con tal que[2] me pague usted bien.

5 — Serás bien pagado si haces todo lo que yo te mande.[3]

— Sí, señor; mande usted lo que quiera. Yo lo haré con todo gusto — contestó el albañil.

— Lo primero que debo hacer es cubrirte[4] los
10 ojos para que no veas las calles por donde hemos de[5] pasar para ir a mi casa.

El viejo sacó un pañuelo[6] grande y le cubrió con él no sólo los ojos, sino toda la cara y parte de la cabeza. Después le dijo:

15 — Cuando lleguemos a mi casa, te quitaré el pañuelo, te diré lo que deseo, y tú harás el trabajo sin hacerme preguntas[7] curiosas* ni hablar más de lo necesario.

— Sí, señor; haré todo lo que usted me mande.

20 El viejo tomó de la mano al albañil y le hizo andar por muchas calles. Al principio[8] el albañil sabía perfectamente que iban hacia el norte de la ciudad; pero después de dar vueltas[9] y más vueltas durante una hora, se perdió completamente. Se sentía

---

[1] **prisa,** hurry; **tengo mucha prisa,** I am in a great hurry.
[2] **con tal que,** provided. [3] **mandar,** to order, command. [4] **cubrir,** to cover (up). [5] **haber: hemos de,** we must. [6] **pañuelo,** handkerchief. [7] **hacer preguntas,** to ask questions. [8] **al principio,** at first. [9] **vuelta,** turn; **dar vueltas,** to walk about, turn around and around.

cansado y respiraba con dificultad a causa del[1] pañuelo.

Por fin el viejo se paró delante de una casa, abrió la puerta, tomó de la mano al albañil, y sin decir palabra, le hizo pasar por unos salones hasta llegar 5 a un patio interior.

Una vez en el patio, el viejo le quitó el pañuelo al albañil, y éste pudo ver con dificultad, porque apenas había luz, una fuente.[2]

El viejo le hizo sentarse a descansar un rato junto 10 a la fuente, y salió del patio. El albañil tenía mucha sed, y bebió agua de la fuente. A los pocos minutos* volvió el viejo para decirle:

— Quiero que me hagas una sepultura[3] junto a esta fuente. Aquí tienes todo lo que necesitas para 15 trabajar.

El albañil tenía gran curiosidad,* pero no hizo ninguna pregunta al viejo, y comenzó a trabajar sin decir palabra. Trabajó toda aquella noche sin descansar, pero no pudo acabar la sepultura. 20

Un poco antes de salir el sol,[4] el viejo le dió unas monedas[5] de oro, le cubrió con el pañuelo toda la cara y parte de la cabeza, y le hizo dar muchas vueltas alrededor del[6] patio. Por fin le sacó de allí, llevándole a su casa con las mismas precauciones* 25 que antes.

La noche siguiente vino el viejo otra vez a la casa

---

[1] **a causa de,** on account of.   [2] **fuente,** fountain.   [3] **sepultura,** grave.   [4] **antes de salir el sol,** before sunrise.   [5] **moneda,** coin.   [6] **alrededor de,** around.

del albañil, le puso el pañuelo sobre los ojos, y le llevó a su casa del mismo modo que la noche anterior.

En el patio le quitó el pañuelo, le hizo descansar un rato cerca de la fuente y se fué. El albañil tenía
5 mucha sed y bebió agua de la fuente. Al poco rato volvió el viejo y le dió todo lo necesario para acabar la sepultura.

El albañil trabajó como la noche anterior, acabando la sepultura a las tres y media de la mañana.
10 — Ahora vas a ayudarme a traer los cuerpos que deseo meter en la sepultura — dijo el viejo.

Al oír estas palabras tuvo mucho miedo el albañil. Siguió[1] al viejo a una habitación de la casa esperando ver algún horrible espectáculo[2] de muerte[3]; pero se
15 alegró[4] mucho al ver unas cuatro cajas[5] que no parecían cajas de muertos.

Las cajas parecían estar llenas de dinero, acaso monedas de oro, porque el albañil y el viejo las levantaron del suelo con mucha dificultad para me-
20 terlas en la sepultura.

Cuando quedó el trabajo acabado, el viejo sacó el pañuelo, le cubrió la cara al albañil, le dió muchas vueltas alrededor del patio y le llevó a un sitio muy lejos de la casa. Allí dió al albañil varias monedas
25 de oro diciéndole:

— Espera aquí hasta que oigas las campanas[6] de la Catedral.* Sólo entonces puedes quitarte el

---

[1] **seguir: siguió,** followed. [2] **espectáculo,** sight (*spectacle*).
[3] **muerte,** death. [4] **alegrarse,** to be glad, rejoice. [5] **caja,** box;
caja de muertos, coffin. [6] **campana,** bell.

18

pañuelo de los ojos. Si lo haces antes de tiempo, te sucederá[1] una cosa mala.

Habiendo dicho esto, se fué el viejo. El albañil esperó un rato muy largo. De repente oyó las campanas de la Catedral, se quitó el pañuelo, y vió 5 que estaba cerca del río[2] Genil, desde donde se fué a su casa tan aprisa como pudo.

El albañil pasó todo un mes sin trabajar, viviendo muy alegre, comiendo muy bien, y comprando muchas cosas útiles para su familia con el oro que 10 había ganado.

Una noche estaba sentado a su puerta cuando se le acercó un hombre rico muy conocido en Granada, porque era dueño[3] de muchas casas.

— Me han dicho — dijo al albañil — que eres 15 muy pobre, ¿ es verdad ?

— Sí, señor; lo soy.

— ¿ Quieres hacerme un trabajo ?

— Sí, señor.

— ¿ Lo harás barato ?[4] porque no puedo pagarte 20 mucho.

— Sí, señor; más barato que ningún albañil de Granada.

— Esto es lo que deseo. Tengo una casa muy vieja que está casi cayéndose.[5] Quiero repararla.[6] 25

El rico llevó al albañil a una casa vieja donde nadie vivía. Él era el dueño de la casa. Pasaron por varios

---

[1] **suceder,** to happen.   [2] **río,** river.   [3] **dueño,** owner.
[4] **barato,** cheap.   [5] **caerse: cayéndose,** falling down.   [6] **reparar,** to repair.

19

salones y habitaciones sin muebles, y luego entraron
en un patio interior donde el albañil vió una fuente
muy bonita que le trajo a la memoria* algo.

— ¿ Quién ha vivido hasta hoy en esta casa ? —
5 preguntó el albañil.

— Un viejo miserable que no pensaba más que en
su dinero. Era muy rico, mucho más rico que yo.
La gente dice que tenía muchas cajas llenas de oro.
Acaba de¹ morir sin dejar nada a nadie. Ahora nadie
10 quiere vivir en su casa. Todos tienen miedo de
ocuparla,* porque la gente dice que todas las noches
se oye un ruido terrible como de monedas de oro.

— ¡ Caramba ! — exclamó el albañil. — ¿ Dónde
se oye el ruido ?

15 — La gente dice que se oye la voz del viejo en el
patio, y además un ruido de monedas en el cuarto en
que dormía. Algunos dicen que oyen la voz del
viejo contando² su dinero.

— Yo soy buen cristiano* — dijo el albañil — y yo
20 no tengo miedo a nadie, ni aun a los espíritus.³
Déjeme⁴ usted vivir en esta casa, y algún día le
pagaré cada mes lo que el viejo le pagaba. Además
repararé la casa.

El dueño de la casa aceptó alegremente. El al-
25 bañil trajo a su numerosa familia a vivir en ella,
donde trabajó muchos meses reparándola. Nadie
oyó más de noche aquel ruido terrible en el cuarto del
viejo, pero todos comenzaron a oír de día las risas,

¹ **acaba de,** has just. ² **contar,** to count. ³ **espíritus,**
spirits. ⁴ **dejar,** to let.

20

los cantos y la alegría de la numerosa familia del albañil. A los pocos meses todos ellos vestían muy bien, y el pobre albañil llegó a ser[1] uno de los hombres más ricos de Granada.

Algunos años más tarde el albañil cayó[2] enfermo. 5
Antes de morir, llamó a su hijo mayor para revelarle[3] el secreto* de la sepultura.

Adapted from WASHINGTON IRVING

¿ CUÁL DE LOS TRES ?

UN HOMBRE tenía una hija muy hermosa llamada María. Un día vinieron a su casa tres jóvenes para pedirle[4] la mano de su hija. Los tres jóvenes eran 10 igualmente[5] guapos y buenos, así es que el padre contestó:

— Ustedes tres me parecen igualmente buenos para maridos de mi hija. Voy a preguntarle a quién prefiere.* 15

Así lo hizo, y la niña le contestó:

— Padre, me gustan los tres.

— Hija, eso no puede ser. Debes elegir[6] a uno de ellos.

— Elijo a los tres — contestó la muchacha. 20

— ¿ Estás loca, niña ? Vamos, dime[7] ¿ a cuál de los tres doy el sí ?[8]

[1] **llegar a ser,** to become. [2] **caer: cayó,** fell. [3] **revelar,** to reveal. [4] **pedir,** to ask (for). [5] **igualmente,** equally. [6] **elegir,** to choose; **elijo,** I choose. [7] **dime,** tell me. [8] **doy el sí,** I'll say yes to.

21

— A los tres, padre — volvió a contestar[1] la muchacha, y no hubo modo de hacerla dar otra respuesta.

Entonces el padre fué a hablar con los tres jóvenes 5 y les dijo claramente que su hija quería a los tres.

— Como eso no es posible — continuó, — yo voy a elegir al marido. Ustedes deberán irse de aquí a buscar[2] y a traerme una cosa única[3] en su especie.[4] El que me traiga la mejor y más rara será el ele- 10 gido.

Se pusieron en camino,[5] cada cual por su lado, y al cabo de mucho tiempo volvieron a reunirse[6] en un país remoto.* Ninguno de ellos había en- contrado todavía la cosa rara y única en su especie 15 que buscaba.

Un día el primero, llamado Ventura, se encontró con un pobre viejo que deseaba venderle[7] un espejo[8] pequeño.

— ¿ Para qué quiero yo un espejo tan feo y tan 20 pequeño ? — le dijo Ventura.

El viejo le contestó que en aquel espejo su dueño podía ver a cualquiera[9] persona* con sólo desearlo. Ventura, muy alegre de encontrar una cosa tan rara, compró[10] el espejo.

25 El segundo joven, llamado Miguel, al pasar por

---

[1] **volvió a contestar,** answered again. [2] **buscar,** to seek, look for. [3] **único,** unique, only. [4] **especie,** kind, sort.
[5] **se pusieron en camino,** they set out. [6] **reunirse,** to meet (together); **volvieron a reunirse,** they met together again.
[7] **vender,** to sell. [8] **espejo,** mirror. [9] **cualquiera,** any (what- soever). [10] **comprar,** to buy.

una calle, se encontró con el mismo viejo, quien le preguntó si quería comprar bálsamo.[1]

— ¿ Para qué quiero yo bálsamo ? — contestó Miguel.

— Este bálsamo — dijo el viejo — tiene la vir- 5 tud[2] de levantar a los muertos.

— Ésta sí que es[3] una cosa rara y única en su especie — dijo Miguel, y compró el bálsamo.

El tercer[4] joven, llamado Benito, se paseaba por la playa[5] cuando vió una caja grande que flotaba* en el 10 agua. Cuando aquella caja llegó a la playa, se abrió, y salieron de ella muchos hombres, y entre ellos un viejo, quien le preguntó si quería comprar aquella caja.

— ¿ Para qué quiero yo esa caja ? — dijo Benito, 15 lleno de admiración.

— Esa caja — le contestó el viejo — tiene una gran virtud. En pocas horas lleva a su dueño y a sus amigos adonde deseen. Usted ha visto a los hombres que acaban de salir de ella. Hace pocas 20 horas que estaban en España.

— Ésta es la cosa más rara del mundo — dijo Benito, y compró aquella caja grande.

Al día siguiente se reunieron los tres, y cada cual dijo muy contento que él había encontrado la cosa 25 más rara y única en su especie.

El primero, Ventura, contó[6] cómo había comprado

---

[1] **bálsamo,** balm, ointment. [2] **virtud,** virtue, power. [3] **ésta sí que es,** this is indeed. [4] **tercer(o),** third. [5] **playa,** beach. [6] **contar,** to relate.

23

un espejo en el que se veía, con sólo desearlo, a cualquiera persona; y para probarlo,[1] sacó su espejo, deseando ver a la muchacha.

Entonces los tres jóvenes miraron en el espejo y
5 vieron con gran asombro[2] que la muchacha estaba muerta.

Miguel dijo entonces:

— Yo tengo un bálsamo que tiene la virtud de levantar a los muertos; pero España está muy lejos
10 de aquí, y cuando lleguemos a la casa de María, será demasiado tarde.

Benito le dijo:

— No es demasiado tarde, porque yo tengo una caja grande que en pocas horas nos pondrá en Es-
15 paña.

Todos corrieron a meterse en[3] aquella caja grande que flotaba en el agua cerca de la playa, y en pocas horas llegaron a España.

Encontraron al padre de María muy triste,[4]
20 sentado junto al cuerpo de su hija. Miguel se acercó al cuerpo de María, puso el bálsamo sobre los labios[5] de la muerta, y ésta se levantó inmediatamente* con cara de risa, y le dijo a su padre:

— ¿ Lo ve usted, padre, cómo necesitaba[6] a los
25 tres ? Ahora me casaré con el que usted elija.

Adapted from FERNÁN CABALLERO

---

[1] **probar,** to prove.   [2] **asombro,** amazement.   [3] **meterse en,** to get into.   [4] **triste,** sad.   [5] **labio,** lip.   [6] **necesitar,** to need.

24

EL RETRATO[1] DE JUAN CINTRÓN

Hace más de cien[2] años vino a los Estados Unidos un joven que vivía en el pueblo[3] de Yabucoa, Puerto Rico. Se quedó algunos años aquí en una época* en que se veía por todas partes el retrato de Jorge Washington.   5

Este joven tomó parte en el entusiasmo* de los norteamericanos* por Washington, y al volver a su país, quiso llevar a Puerto Rico, como regalo[4] a su padre, un buen retrato del hombre « primero en la guerra,[5] primero en la paz[6] y primero en el corazón[7] 10 de sus conciudadanos ».[8]

La vuelta[9] del joven con aquel magnífico retrato fué para el pequeño pueblo de Yabucoa un gran acontecimiento.[10] El padre del joven puso el retrato en el sitio de honor de la casa, y lo enseñaba[11] 15 con orgullo[12] a cuantos venían a visitar a la familia, y el joven les contaba todo lo bueno que sabía de Jorge Washington.

Más tarde el joven volvió a los Estados Unidos para vivir allí, pero antes de despedirse contó de 20 nuevo[13] a sus parientes[14] la vida del gran héroe* norteamericano, y escribió detrás del retrato su nombre completo*: Jorge Washington.

[1] **retrato,** picture, portrait.   [2] **cien(to),** one hundred.
[3] **pueblo,** town.   [4] **regalo,** present, gift.   [5] **guerra,** war.
[6] **paz,** peace.   [7] **corazón,** heart.   [8] **conciudadano,** fellow citizen.
[9] **vuelta,** return.   [10] **acontecimiento,** event.   [11] **enseñar,** to show.   [12] **orgullo,** pride.   [13] **de nuevo,** again.   [14] **parientes,** relatives.

Su padre aprendió a pronunciar muy bien el nombre, pero al morir, se llevó a la sepultura la buena pronunciación,* y sus hijos leyeron[1] el nombre a su modo, poniendo el acento* en la última
5 sílaba.* Siempre pronunciaban* *Washingtón.*

Pasó mucho tiempo, y los hijos se separaron,* llevándose cada uno algunos muebles y cuadros. Uno de los hijos se llevó el retrato, y viendo que el nombre no estaba muy claro,* lo escribió tal como
10 lo pronunciaba él. En vez de poner *Washington,* puso *Guasintón.*

El retrato pasó, después de muchos años, a los hijos de aquél que había escrito[2] *Guasintón;* pero éstos hicieron dos palabras para formar* nombre y
15 apellido,[3] de modo que[4] el dueño del retrato hablaba con orgullo del retrato del señor *Gua Cintón,* habiendo cambiado[5] la *s* en *c.*

Este hombre, pocos años más tarde, tuvo una hija muy inteligente a quien mandó[6] a estudiar a San
20 Juan. Cuando la señorita volvió a Yabucoa sabía más que nadie. Le parecía muy desagradable la pronunciación de todos, y empezó[7] a corregir[8] a su padre. Decía que en el pueblo se hablaba muy mal el español. Al oír que su padre hablaba un día del
25 retrato de Gua Cintón, le dijo con mucho cariño:

— Padre, no digas así.

---

[1] **leer: leyeron,** (they) read. [2] **escribir: escrito,** written. [3] **apellido,** surname. [4] **de modo que,** so that. [5] **cambiar,** to change. [6] **mandar,** to send. [7] **empezar = comenzar.** [8] **corregir,** to correct.

26

— ¿ Y cómo he de decir,[1] hija mía ?

— Mira, padre: *Gua* no es nombre cristiano. Debes pronunciar la *n* final y cambiar la *g* en *j*. No se pronuncia *Gua* ni *Guan*, sino *Juan*. Así está en el diccionario.* 5

— Tienes razón — dijo el padre, — le llamaremos *Juan Cintón*.

— Pero *Cintón* no es apellido español. Debes pronunciar *Cintrón*.

— Es verdad — dijo el padre; — me parece que 10 *Cintrón* suena[2] mejor que *Cintón;* pero, hija mía, este retrato vino de los Estados Unidos, y allá[3] pronunciaban el nombre de otro modo.

— Porque allá no pronuncian bien el español.

— ¡ Qué inteligente eres hija ! Ahora recuerdo[4] 15 que hace muchos años vivió cerca de aquí un hombre muy rico llamado Cintrón. Él fué quien fundó[5] nuestro pueblo.

Por todo el pueblo de Yabucoa se supo la noticia[6] de tan gran descubrimiento.[7] Se hicieron muchas 20 copias* de aquel retrato, y los más viejos del pueblo decían que se parecía a varios miembros[8] de la numerosa familia de los Cintrones.

Un día llegó de Boston un joven, nieto[9] de aquel que había traído el retrato a Puerto Rico. Recono- 25 ció[10] inmediatamente al gran héroe norteamericano

[1] ¿cómo he de decir? how must I say (it)? [2] sonar: suena, sounds. [3] allá = allí. [4] recordar: recuerdo, I recall. [5] fundar, to found. [6] noticia, news. [7] descubrimiento, discovery. [8] miembro, member. [9] nieto, grandson. [10] reconocer, to recognize.

y pronunció su nombre con mucho respeto. La muchacha le corrigió; pero él se rió de[1] ella, repitiendo el nombre varias veces con la pronunciación correcta.*

5 Como el joven acababa de[2] llegar de Boston, su pronunciación fué aceptada* en el pueblo, y desde entonces dieron al original su verdadero nombre.

Ahora todavía se recuerda este cuento en Puerto Rico, y cuando alguien ve el retrato del gran héroe 10 norteamericano, dice riéndose:

— Allí está el retrato de Juan Cintrón.

Adapted from MANUEL FERNÁNDEZ JUNCOS

DON JUAN BOLONDRÓN

ÉSTE era un pobre zapatero llamado Juan Bolondrón. Un día que estaba sentado en su silla bebiendo un vaso[3] de leche, cayeron algunas gotas[4] sobre la 15 silla. Muchas moscas[5] vinieron a pararse[6] en las gotas de leche. Juan dió un golpe muy fuerte con la mano y mató[7] algunas moscas. Las contó y vió que eran siete. Entonces comenzó a gritar muy alegre:

20 — ¡ Qué valiente* soy ! ¡ Caramba, qué fuerte soy ! ¡ Qué hombre ! ¡ He matado siete de un solo golpe ! Desde hoy me llamaré don Juan Bolondrón Mata-Siete.

---

[1] reírse de, to laugh at; se rió de ella, laughed at her.
[2] acababa de, had just. [3] vaso, glass. [4] gota, drop. [5] mosca, fly. [6] pararse, to stop, light. [7] matar, to kill.

28

Cerca de la ciudad había un bosque[1] muy grande
y muy hermoso. Por este bosque andaba un tigre*
enorme.* Cada vez que tenía hambre, este tigre venía a la ciudad y hacía mucho mal[2] a los habitantes.*
Una vez se comió a dos mujeres que habían ido a la   5
plaza para traer agua; otra vez se comió a un viejo
que andaba a caballo[3] cerca del bosque; otra vez se
metió de noche en un patio y se llevó a un niño de
diez años. En fin,[4] casi todas las semanas mataba
a alguien y se llevaba parte de su cuerpo al bosque   10
para comérselo a su gusto, dejando pedazos[5] de
carne humana* en su camino.

El rey[6] había enviado a los hombres más fuertes
de la ciudad para matarlo, pero nadie había podido
hacerlo. Unos, al ver aquel tigre tan enorme, co-   15
rrían llenos de miedo, mientras que los más valientes
perdían la vida. Un día llegó a oídos[7] del rey que
vivía en su ciudad un hombre muy fuerte llamado don
Juan Bolondrón Mata-Siete. — Ese Mata-Siete —
dijo el rey — debe de ser muy valiente. Quiero   20
conocerle. Mandaré que venga a mi palacio.*

Trajeron a don Juan Bolondrón Mata-Siete delante del rey, y éste le dijo:

— Ha llegado a mis oídos tu gran fama.* Sé
que eres muy valiente. ¿ Es verdad que matas   25
siete de un golpe ?

— Sí, Vuestra Majestad,[8] de un solo golpe —

---

[1] **bosque,** forest.   [2] **mal,** harm, damage.   [3] **caballo,** horse;
a caballo, on horseback.   [4] **en fin,** in short.   [5] **pedazo,** piece.
[6] **rey,** king.   [7] **oídos,** ears, hearing.   [8] **Vuestra Majestad,**
Your Majesty.

contestó Mata-Siete, haciendo una profunda reverencia.

— Muy bien, — dijo el rey — eso es lo que yo pensaba. Tengo una hija muy bonita y muy in-
5 teligente; te la daré si matas al tigre que está haciendo tanto mal en mi ciudad. ¿ Me traerás el cuerpo de ese tigre ?

— Sí, Vuestra Majestad, lo traeré al palacio.

— Muy bien; pero si no lo traes, mandaré cor-
10 tarte[1] la cabeza. Mañana irás al bosque. Toma de mi palacio las mejores armas.*

Mata-Siete, lleno de miedo, se fué al bosque, pensando en el mejor modo de matar aquel tigre, y también pensando que era más probable* que el
15 tigre le matara[2] a él. Además, era la primera vez en su vida que llevaba armas.

Pronto llegó al bosque que estaba fuera de[3] la ciudad, y en cuanto[4] el tigre sintió[5] su presencia, salió corriendo a buscarle. Cuando Mata-Siete lo
20 vió venir, comenzó a correr en la dirección* del palacio, y el tigre le siguió. Mata-Siete llegó lleno de miedo al palacio y se metió detrás de la puerta, que estaba abierta. El tigre entró corriendo detrás de él y siguió hasta el patio del palacio, donde los
25 soldados[6] del rey le dieron muerte.[7]

Mata-Siete, que estaba detrás de la puerta, ahora salió al patio con un arma en la mano gritando:

[1] **cortar,** to cut; **cortarte la cabeza,** cut your head off.
[2] **matara,** would kill. [3] **fuera de,** outside (of). [4] **en cuanto,** as soon as. [5] **sentir: sintió,** sensed, smelled. [6] **soldado,** soldier. [7] **dieron muerte,** slew.

30

— ¿ Dónde está el tigre ?   ¡ Tontos !   ¿ Por qué
han matado al tigre ?

El ruido que los soldados hicieron para matar al
tigre, y los gritos[1] de Mata-Siete fueron oídos por el
rey.   5

— ¿ Qué es esto, don Juan ? — preguntó el rey a
Mata-Siete.

— Nada, Vuestra Majestad, sólo que estos soldados acaban de matar al tigre que yo he traído
vivo. Allí está su cuerpo.   10

— ¡ Qué valiente eres, don Juan ! Has ganado[2]
la mano de mi hija — contestó el rey.

Adapted from Fernán Caballero

LA LIEBRE[3] Y EL ERIZO[4]

Era una hermosa mañana de verano.   El sol
brillaba * y el aire estaba fresco y suave.[5]   Todo el
mundo se sentía alegre, y también el erizo.   15

El erizo estaba sentado delante de su puerta mirando pasar a las personas que iban a la iglesia,[6]
porque era domingo.   Mientras cantaba a media
voz, como cantan los erizos cuando están alegres,
se le ocurrió * dar un paseo por el campo e ir a ver 20
cómo estaban los nabos.[7]   Los nabos estaban cerca
de su casa, y él tenía la costumbre de cogerlos[8] como

---

[1] **grito,** shout.   [2] **ganar,** to win.   [3] **liebre,** hare, rabbit.
[4] **erizo,** hedgehog.   [5] **suave,** soft, balmy.   [6] **iglesia,** church.
[7] **nabo,** turnip.   [8] **coger,** to gather, seize, take.

31

si fuesen[1] suyos y comerlos con su familia.   Dicho
y hecho.

El erizo dió un beso a su buena mujer y la dejó
lavando y vistiendo a sus hijitos.   Cerró la puerta
5 de su casa y se puso en camino, respirando alegre
el aire fresco y suave de aquella mañana de verano.
Ya estaba cerca de los nabos cuando de repente se
encontró con la liebre que había salido con una intención semejante.[2]

10   En cuanto el erizo vió a la liebre, pensó hacerle
una burla,[3] pero le dió los buenos días con mucha
cortesía.   La liebre, que era un personaje* muy
grande a su modo, y de mucho orgullo, no contestó a
su saludo, sino que dijo con aire de burla:

15   — ¿ Qué hace usted tan temprano por el campo ?

— Voy a pasearme — respondió el erizo; — el
aire está fresco y suave.

— ¿ A pasearse ? — dijo riendo la liebre; — me
parece que para eso necesita usted cambiar de
20 piernas.[4]

Esta respuesta no le gustó al erizo.

— ¿ Se imagina* usted, doña liebre, que sus piernas son mejores que las mías ?

— Ya lo creo[5] — contestó la liebre.

25   — ¡ Ja, ja, ja !   Apuesto[6] a que si corremos juntos,
yo gano la carrera.[7]

---

¹ ser: como si fuesen, as if they were.   ² semejante, like,
similar.   ³ burla, joke; hacerle una burla, to play a joke on
him.   ⁴ pierna, leg; cambiar de piernas, to get a new pair of
legs.   ⁵ ya lo creo, indeed I do.   ⁶ apostar: apuesto, I bet.
⁷ carrera, race.

— ¿ Con esas piernas miserables ? ¡ Ja, ja, ja !
¿ Con esas piernas tan feas y tan cortas ? ¿ Cuánto
quiere usted apostar ?

— Apuesto una moneda de oro y una botella* de
aguardiente[1] — dijo el erizo.   5

— Bueno, muy bueno — contestó la liebre; — comencemos[2] la carrera.

— No; no hay necesidad* de tanta prisa. No
he comido aún, y mi mujer me espera. Quiero ir a
casa primero, y volveré dentro de media hora.   10

La liebre tuvo que aceptar, y el erizo se fué a su
casa. Por el camino iba pensando: « ¡ Qué importancia se da la liebre ! Tiene las piernas largas pero
la inteligencia* corta. Voy a hacerle una burla. »
En cuanto llegó a casa besó el erizo a su buena mujer 15
y le dijo:

— Mujer, vístete[3] muy pronto para salir conmigo.
Vas a ayudarme. He apostado una moneda de oro
y una botella de aguardiente.

— ¿ Con quién has apostado ?   20

— He apostado con la liebre, y voy a ganar.

— ¡ Dios mío ! — exclamó la eriza, levantando las
manos al cielo. — ¿ Has perdido la cabeza ? ¿ Piensas ganarle la carrera a la liebre ?

— Silencio,* mujer — dijo el erizo; — las mujeres 25
no saben de negocios como los hombres. Vamos,
vístete y ven conmigo.

La eriza siguió al erizo sin decir una sola palabra

---

[1] **aguardiente,** brandy, liquor. [2] **comenzar: comencemos,**
let's begin. [3] **vestirse: vístete,** get dressed.

33

más. Cuando estaban cerca de los nabos, dijo el erizo a su mujer:

— Oye bien lo que voy a decirte. ¿ Ves aquel campo lleno de surcos ?[1] La liebre correrá por un
5 surco y yo por el otro. Como tú eres exactamente igual[2] a mí, no tienes más que estar escondida[3] dentro de un surco, a un extremo.[4] La liebre y yo partiremos[5] del otro extremo, ella por un surco y yo por el otro, cada uno sin salirse de su surco. Cuando
10 llegue la liebre cerca de ti, te levantarás gritando: « Aquí estoy. »

Llegaron al campo de los nabos. El erizo indicó * a su mujer el sitio en que debía estar escondida, y él se fué al otro extremo del surco, donde encontró
15 a la liebre.

— Vamos a correr[6] — dijo la liebre.

— Sí — contestó el erizo; — pero métase usted en el otro surco.

Y cada uno se metió en su surco. La liebre en-
20 tonces contó:

— Una, dos, tres; — y partió muy aprisa.

El erizo dió tres o cuatro pasos[7] y se acostó en el surco. Cuando la liebre llegó al otro extremo, la mujer del erizo se levantó gritando:
25 — Aquí estoy.

La liebre se llenó de asombro al ver que el erizo había llegado allí antes que ella. La liebre pensó

---

[1] **surco,** furrow. [2] **igual,** like, identical. [3] **esconder: escondido,** hidden. [4] **extremo,** end. [5] **partir,** to depart, leave. [6] **vamos a correr,** let's run. [7] **paso,** step, pace.

para sí[1]: « ¡ Qué cosa más rara ! » Y luego dijo en alta voz:

— Vamos a correr otra vez.

Y volvió a partir en dirección contraria * tan aprisa que sus orejas[2] flotaban en el aire. La mujer del 5 erizo dió unos cuatro pasos y se acostó dentro del surco. Cuando la liebre llegó al otro extremo, se levantó el erizo gritando:

— Aquí estoy.

La liebre se quedó más llena de asombro que la 10 primera vez.

— Otra carrera.

— ¿ Por qué no ?[3] — contestó el erizo. — Puedo continuar todo el día.

La liebre corrió así setenta y tres (73) veces sin 15 descansar. Cada vez que llegaba a un extremo del surco, el erizo o su mujer gritaba siempre: « Aquí estoy. »

A las setenta y cuatro veces la liebre cayó en el surco respirando muy fuerte, y por fin murió.[4] El 20 erizo cogió la moneda de oro y la botella de aguardiente que había ganado, llamó a su mujer, que estaba todavía escondida en el surco, y ambos se fueron muy contentos a casa, donde, si no se han muerto,[5] viven todavía. 25

La moral de esta historia[6] es doble*: en primer lugar, no te burles del[7] más pequeño, aunque sea un

---

[1] **para sí,** to himself. [2] **oreja,** ear. [3] **¿ por qué no ?** why certainly. [4] **morir: murió,** died. [5] **se han muerto,** have died. [6] **historia,** story. [7] **burlarse de,** to make fun of.

erizo; en segundo lugar, si tomas mujer, es bueno
que la tomes de tu propia clase y muy semejante a ti.
Si eres erizo, ten cuidado[1] de que tu mujer sea eriza.

EL PERDÓN*

ALHAMAR, el fundador[2] de la Alhambra, era feliz.
5 Era feliz porque creía en la felicidad[3]; porque su
pueblo le admiraba*; porque su sultana,* Zoraya,
le amaba[4]; porque sus enemigos[5] le temían[6] y
porque su amigo de la infancia,* más que amigo,
hermano, le era siempre fiel.[7]
10 Alhamar era el rey de Granada. Era también
dueño de la flor[8] más hermosa de Granada, Zoraya.
El amor[9] de Zoraya era su vida, su gloria,* su orgullo. Pero ... ¡ ah ! la felicidad del hombre en este
mundo es toda ilusión.*
15 El cristiano Julián era el amigo de la infancia.
Había sido esclavo[10] del padre de Alhamar, pero
ahora era no sólo un hombre libre,[11] sino además el
favorito* de éste.
La mano de la Fatalidad* llevó un día a Julián
20 a los jardines[12] reservados* de la sultana, y se encontró delante de Zoraya. Allí vió a Zoraya acostada
entre las flores, y le pareció más hermosa que todas
ellas.

[1] **ten cuidado,** be careful. [2] **fundador,** founder. [3] **felicidad,**
happiness. [4] **amar,** to love. [5] **enemigo,** enemy. [6] **temer,**
to fear. [7] **fiel,** faithful. [8] **flor,** flower. [9] **amor,** love. [10] **esclavo,** slave. [11] **libre,** free. [12] **jardín,** garden.

36

Zoraya soñaba cuando Julián llegó. Tenía los ojos cerrados y los labios entreabiertos.[1] Eran labios de rosa.* Sus cabellos[2] eran largos y negros, de un negro brillante,* y le cubrían parte de la cara.

De los labios de rosa salían palabras que llegaron al corazón de Julián, quien loco de placer,[3] apenas podía creer lo que oía. Zoraya hablaba: 5

— Él no sabe que mis ojos le han visto una sola vez — decía en su sueño la sultana — y que desde entonces no puedo pensar sino en él ... le veo siem- 10 pre ... pero Alhamar ... ¡ ah ! ¡ no, no !... le ma- taría ... Alhamar es mi señor, mi dueño ... yo creía amarle[4] ... y veo que nunca le he amado ... ¡ no puedo !... porque mi corazón ama al cris- tiano ... el dueño de mi corazón es ... Julián. 15

Zoraya no acabó de pronunciar[5] este nombre. Una voz suave la despertó. Ya no[6] soñaba; allí estaba él.

— ¡ Te amo, sultana ! Tú eres la imagen* de mis sueños. Sólo una vez te había visto, pero desde 20 entonces eres dueña absoluta* de mi corazón. ¡ Te amo !

Zoraya miraba a Julián llena de asombro. Creía soñar[7] aún hasta que sintió en sus manos un beso ardiente* del cristiano. 25

---

[1] **entreabierto,** parted, half-open. [2] **cabellos,** hair, locks.
[3] **placer,** pleasure, joy. [4] **yo creía amarle,** I thought I loved him. [5] **no acabó de pronunciar,** did not finish uttering.
[6] **ya no,** no longer. [7] **creía soñar,** she thought she was dream- ing.

37

*   *   *

La ilusión pasa pronto; fría y terrible es la realidad. Un día los amantes[1] observaron que la sonrisa[2] de Alhamar había desaparecido,* y Zoraya, llena de miedo, dijo a Julián:

5 — Hoy no ha venido a visitarme.

— A mí no me ha mirado siquiera[3] — contestó Julián.

— Huyamos[4] de aquí — exclamó ella.

— No, amada mía[5]; huir nunca. Acaso Alhamar 10 no tenga aun sospecha.[6]

— ¡ Ah no ! Le conozco bien. No tiene sospecha; lo sabe todo. ¡ Huyamos, por favor ![7] Su venganza[8] será terrible, aunque Alhamar es el más bueno y generoso* de los hombres.

15 — Sí; él es el mejor y yo el peor de los hombres — respondió Julián. — Soy un miserable. Me quitaré la vida,[9] porque no podré estar jamás en su presencia.

Al decir estas palabras brilló la daga[10] en la mano de Julián, pero Zoraya le cogió fuertemente el brazo.[11]

*   *   *

20 Pasaron muchos días y los amantes no huían. El silencio de Alhamar era cada vez más profundo.

---

[1] **amante,** lover. [2] **sonrisa,** smile. [3] **siquiera,** even. [4] **huir: huyamos,** let us flee. [5] **amada mía,** my beloved. [6] **sospecha,** suspicion. [7] **por favor,** please. [8] **venganza,** vengeance. [9] **me quitaré la vida,** I shall take my life. [10] **brilló la daga,** the dagger gleamed. [11] **brazo,** arm.

38

Salió a la guerra y volvió tan triste como antes. Un día, por fin, Zoraya le preguntó:

— ¿ Por qué estás triste ? ¡ Hace tanto tiempo que guardas silencio !

— Si tu conciencia* no te lo dice ahora, pronto lo 5 sabrás — dijo Alhamar, desapareciendo de la presencia de Zoraya.

Zoraya contó esta respuesta a Julián, y el cristiano sintió miedo. Temió la venganza de su rey; acaso la muerte le esperaba. Para salvar[1] su vida 10 y la de Zoraya tuvo una mala idea . . .

* * *

El fundador de la Alhambra dormía profundamente cuando la mala idea llevó a Julián a la habitación de aquél.

Sólo un soldado guardaba* la puerta, y como éste 15 sabía que Julián era el favorito de Alhamar, le dejó entrar en la habitación. Julián se acercó a la cama, sacó su daga, la levantó muy alto, y . . . viendo la cara triste de aquel rey que había sido tan generoso para con él,[2] sintió gran dolor[3] en el corazón, sintió 20 que iba a matar a su propio hermano.

— ¡ Miserable de mí ![4] ¡ Qué horror ! ¿ Qué voy a hacer ?

En aquel mismo instante despertó Alhamar lleno de asombro, y vió que Julián caía al suelo, casi a sus 25 pies, con la daga en el pecho.[5]

[1] **salvar,** to save. [2] **para con él,** toward him, in his behalf. [3] **dolor,** grief, sorrow. [4] **miserable de mí,** wretch that I am. [5] **pecho,** breast.

39

Alhamar se acercó lleno de compasión* al amigo de su infancia. Con la ayuda[1] del soldado le puso en su propia cama e hizo llamar a los mejores médicos[2] de Granada, que eran en aquella época los 5 mejores de Europa.

Cuando Julián volvió en sí,[3] el rey mandó que le dejasen solo; se acercó a su favorito y le miró largo rato en silencio. Esperaba una confesión.*

— Dame la muerte — dijo Julián; — yo solo soy 10 el culpable.[4] Perdona* a Zoraya.

— Quiero que vivas — contestó Alhamar con acento de compasión.

— ¡ No, no ! No podré vivir.

— Sí, Julián, dejaré vivir a Zoraya, y viviendo 15 ella, tú no querrás morir.

A estas palabras que indicaban el profundo conocimiento[5] que Alhamar tenía del corazón humano, Julián no pudo contestar.

Alhamar perdonó al cristiano; y no sólo le perdonó, 20 sino que mandó construir[6] otro palacio, lejos, muy lejos de la Alhambra, y lo ofreció a Zoraya y a Julián como recuerdo[7] de lo mucho que los había amado.

— Id, amigos míos, — les dijo; — en aquella man- 25 sión* seréis felices. ¡ No permita* Alá[8] que vuestro amor se cambie en dolor ! Pero no volváis jamás a

[1] **ayuda,** help, assistance.   [2] **hizo llamar a los mejores médicos,** had the best doctors called.   [3] **volvió en sí,** came to himself.   [4] **culpable,** guilty (one).   [5] **conocimiento,** knowledge. [6] **construir,** to build.   [7] **recuerdo,** remembrance.   [8] **Alá,** Allah (*the one supreme God according to the Mohammedans*).

Granada. ¡No he de veros jamás!¹ Viviréis pensando en mi perdón.

Habiendo pronunciado esta sentencia* sublime,* Alhamar I desapareció majestuosamente² por los jardines de la Alhambra. 5

Adapted from GARCÍA DEL REAL

EXERCISES

¿ QUÉ ES LA VIDA?

I. *Read the following sentences in Spanish and tell which are true and which are false:*

1. Felipe el Bueno se paseaba cerca de su casa. 2. Vió a un hombre muerto acostado en medio de la calle. 3. Felipe el Bueno respiraba con gran dificultad. 4. El pobre hombre tenía los ojos cerrados; estaba dormido. 5. Felipe el Bueno y sus amigos despertaron al pobre hombre. 6. Dejaron al pobre dormido en la cama de Felipe el Bueno. 7. A la mañana siguiente, el pobre no sabía dónde estaba. 8. El hombre vió a su hijo Bartolito, quien trabajaba en su casita. 9. A la noche siguiente, el pobre se quedó otra vez en la magnífica cama. 10. El pobre había soñado que era un gran señor.

II. *Consult the text and add the necessary endings in place of the blanks:*

1. algun– amigos suy–. 2. un– buen– lección. 3. un– camisa limp–. 4. los ojo– muy abiert–. un– dos hora–.

¹ ¡ **No he de veros jamás!** I must never see you. ² **majestuosamente,** majestically.

41

III. *Translate into English, paying close attention to the italicized words:*

1. Los amigos *le* lavaron la cara. 2. El hombre *se* tocaba la camisa limpia. 3. Le ayudaron a vestir*se*. 4. Le enseñaron toda la casa, quitándo*se* el sombrero en su presencia.

EL RICO Y EL POBRE

I. *Translate the paired sentences:*

REQUEST	STATEMENT
1*a*. Buenos días le *dé* Dios.	1*b*. Don Juan *da* a Pepa 25 pesetas.
2*a*. No *digas* eso, Perico.	2*b*. Perico *dice* que gana lo bastante para vivir.
3*a*. *Pregúnte*selo a mi Pepa.	3*b*. Don Juan *pregunta* a Perico por qué es feliz.
4*a*. *Mire* usted esta cama.	4*b*. Don Juan *mira* la cama.
5*a*. *Hága*me el favor de tocarla.	5*b*. Perico *hace* zapatos.
6*a*. *Beba*, señor don Juan.	6*b*. Don Juan *bebe* el vino.

II. *Choose the correct answer in each case:*

1. ¿ Cómo se llamaba el zapatero ? (Don Juan, Perico, Pepa)
2. ¿ Qué hacen los zapateros ? (zapatos, camas, casas)
3. ¿ Quién fué a visitar a los zapateros ? (Don Juan, Perico, Pepa)
4. ¿ Cómo encontró la casa ? (magnífica, sucia, miserable)
5. ¿ Cuándo cantaban los zapateros ? (de día, de noche, de día y de noche)

42

III. *In place of the infinitive (in parentheses), substitute the correct verb form of the present tense; consult the text when in doubt:*

EXAMPLE: Don Juan (beber) el vino. = Don Juan *bebe* el vino.

1. Esta habitación (ser) la mejor de su clase. 2. Estos muebles (ser) pobres pero muy cómodos. 3. Nosotros (estar) muy contentos. 4. ¿ Cómo (estar) usted ? 5. ¿ Cuánto dinero (ganar) ustedes al día ? 6. ¿ Miseria (llamar) usted a dos pesetas ? 7. Estas dos pesetas nos (dar) para comprar tabaco y vino.

EL ALBAÑIL DE GRANADA

I. *Be ready to tell which of the following statements are true and which are false as the teacher reads them aloud:*

1. El albañil era muy pobre. 2. Tenía una familia numerosa. 3. Vivía en una casa magnífica. 4. Un día vino a su casa un viejo. 5. Los dos fueron a una casa vieja. 6. El albañil hizo una sepultura en el patio. 7. Metieron en la sepultura unas cajas grandes. 8. Acabó la sepultura la primera noche. 9. La noche siguiente vino a su casa un hombre rico. 10. Este hombre también le cubrió los ojos.

II. *In translating the paired sentences below, recall that the past descriptive tense describes persons, things, or circumstances, while the past absolute relates past happenings; make the English version bring out this distinction.*

PAST DESCRIPTIVE	PAST ABSOLUTE
1*a*. El pobre sabía perfectamente que *iban* hacia el norte. (were going)	1*b*. El albañil y el viejo *fueron* dos veces a aquella casa. (went)

43

2a. El albañil *tenía* una familia muy numerosa. (had = possessed)

2b. *Tuvo* que hacer el trabajo de noche. (*was the work done?*)

3a. El viejo *venía* siempre de noche. (*describes a custom*)

3b. Esa noche *vino* el viejo otra vez. (*narrates a fact*)

4a. Pronto se *oían* de día las risas de la familia. (*once or repeatedly?*)

4b. De repente *oyó* las campanas. (*once or more than once?*)

5a. La casa *era* vieja; el patio *era* grande; el agua *era* clara. (*descriptive or narrative?*)

5b. Cuando *fué* acabado el trabajo, volvió a su casa. (*was an act accomplished?*)

¿CUÁL DE LOS TRES?

I. *Notice below that the subject of a sentence may follow the verb, and that* a *is used before a personal object; translate into English:*

EXAMPLES OF OBJECT NOUNS INTRODUCED BY **a**

EXAMPLES OF SUBJECT NOUNS THAT FOLLOW THE VERB

1a. Debes elegir *a* uno de los jóvenes.

1b. Me gustan los tres.

2a. La niña quería *a* los tres.

2b. Un día vinieron a su casa tres jóvenes.

3a. El dueño del espejo podía ver *a* cualquiera con sólo desearlo.

3b. La caja se abrió y salieron de ella muchos hombres.

4a. En pocas horas esta caja lleva *a* su dueño adonde él quiera.

4b. Esta caja — le contestó el viejo — tiene una gran virtud.

5a. Sacó su espejo para ver *a* la muchacha.

5b. A los tres — volvió a contestar la muchacha.

44

6a. Encontraron *al* padre
de María muy triste.

6b. Al día siguiente se
reunieron los jóvenes.

II. *Add the necessary endings to the incomplete adjectives below:*

1. Un– hija muy hermos–. 2. Tres jóvenes igualmente guap– y buen–. 3. Dar otr– respuesta. 4. Una cosa rar– y únic– en su especie. 5. Un espejo pequeñ– y fe–. 6. much– hombres. 7. La muchacha estaba muert–.

EL RETRATO DE JUAN CINTRÓN

I. *Substitute Spanish words for the English words; use the verb and tense suggested in each case:*

Use the past descriptive tense   *Use the past absolute tense*

1a. El padre *would show* (enseñar) el retrato a cuantos *came* (venir) a visitar a la familia, y les *related* (contar) todo lo que *he knew* (saber) de Washington.

1b. El joven *returned* (volver) a los Estados Unidos; pero antes de partir, *he related* (contar) de nuevo la vida del gran héroe y *wrote* (escribir) su nombre.

2a. Siempre *pronounced* (pronunciar) Washington.

2b. Al ver el retrato, el nieto *pronounced* (pronunciar) el nombre con gran respeto.

3a. La señorita *would say* (decir) que en el pueblo *they spoke* (hablar) muy mal el español.

3b. *Said* (decir) ella que "Gua" *was not* (ser) nombre cristiano.

45

II. *Give the meaning of the following idiomatic phrases:*

1. de nuevo. 2. hace más de cien años. 3. por todas partes. 4. en vez de poner. 5. sabía más que nadie. 6. ¿ cómo he de decir ? 7. él se rió de ella. 8. él acababa de llegar.

DON JUAN BOLONDRÓN

I. *Say in Spanish:*

Put adjective last	*Put noun last*
a big tiger	many flies
a very strong man	two women
a small town	your great fame
a large family	a poor (pitiable) shoemaker

II. *Answer in as brief a manner as possible:*

1. ¿ Cómo se llamaba el zapatero ? 2. ¿ Qué bebía él ? 3. ¿ Cuántas moscas mató Juan con la mano ? 4. ¿ Qué gritó ? 5. ¿ Qué animal andaba en el bosque ? 6. ¿ Qué se comió una vez ? 7. ¿ Qué se llevó una noche ? 8. ¿ Quién debía de ser muy valiente ? 9. ¿ Quiénes mataron al tigre ? 10. ¿ Qué ganó Mata-Siete ?

LA LIEBRE Y EL ERIZO

I. *Express the following phrases in Spanish; use the text freely:*

Use the past descriptive tense

1. It was a summer morning. 2. The sun was shining. 3. It was Sunday. 4. Mrs. Hedgehog was washing her little ones. 5. The hare had long legs (*Say:* had the legs long).

46

Use the past absolute tense

6. The hedgehog kissed his wife. 7. He greeted the hare. 8. They bet a bottle of brandy. 9. The hedgehog went home. 10. At last the hare fell dead.

EL PERDÓN

I. *Study each sentence below and then give the meaning of the underlined words:*

1. Alhamar era feliz; su pueblo le admiraba. 2. Julián le era siempre fiel. 3. Julián había sido esclavo del padre de Alhamar, pero ahora era el favorito de éste. 4. Zoraya decía en su sueño que amaba a Julián. 5. Sus cabellos le cubrían parte de la cara. 6. Yo creía amarle. 7. Ya no soñaba. 8. Huyamos de aquí. 9. Le conozco bien; no tiene sospecha; lo sabe todo. 10. Su venganza será terrible. 11. Hace tanto tiempo que guardas silencio. 12. No he de veros jamás.

II. *Answer in as brief a manner as possible:*

1. ¿ Quién era Zoraya ? 2. ¿ Quién era Julián ? 3. ¿ A quién vió Julián en los jardines ? 4. ¿ Cómo le pareció ella ? 5. ¿ Qué salía de sus labios ? 6. ¿ De quién hablaba ella ? 7. ¿ Qué la despertó ? 8. ¿ Qué le dijo Julián ? 9. ¿ Cuál de los amantes quería huir ? 10. ¿ Quién salió a la guerra ? 11. ¿ Cómo volvió él ? 12. Al momento de matar al rey, ¿ qué sintió Julián ? 13. ¿ Por qué cayó al suelo Julián ? 14. ¿ En dónde le puso el rey ? 15. ¿ A quiénes hizo llamar ? 16. ¿ Qué dijo Julián al volver en sí ? 17. ¿ Le dejó vivir Alhamar ? 18. ¿ Qué mandó construir Alhamar ? 19. ¿ Para quiénes era el palacio ? 20. ¿ Volvieron alguna vez (*ever*) al palacio ?

47

IMPORTANT IDIOMS

(Listed in order of occurrence)

1. **Tenía los ojos cerrados.** His eyes were closed.
2. **Dicho y hecho.** No sooner said than done.
3. **de repente,** suddenly.
4. **a lo lejos,** in the distance.
5. **al poco tiempo,** in a little while.
6. **A ver.** Let's see.
7. **Aquí tiene usted el tabaco.** Here is the tobacco.
8. **ponerse de mal humor,** to get vexed.
9. **para dar la mano a,** to shake hands with
10. **¿Qué tal? ¿hay apetito?** What do you say, are you hungry?
11. **acabada la cena,** as soon as supper was finished.
12. **Tienes muy mala cara.** You look very badly.
13. **Había hace muchos años...** There was many years ago...
14. **Favor de abrirme la puerta.** Please open the door.
15. **con todo gusto,** gladly.
16. **por donde hemos de pasar,** through which we must pass.
17. **al principio,** at first.
18. **No hizo ninguna pregunta.** He did not ask a single question.
19. **un poco antes de salir el sol,** a little before sunrise.
20. **Sí, señor; lo soy.** Yes, sir; I am.
21. **Volvió a contestar.** He answered again.
22. **Se pusieron en camino.** They set out.
23. **Se encontró con.** He met (with).
24. **¿Y cómo he de decir?** How must I say (it)?
25. **Se supo la noticia.** They learned the news.
26. **Se rió de ella.** He laughed at her.
27. **en fin,** in short.
28. **Le dieron muerte.** They slew him.
29. **Ya lo creo.** I should say so.
30. **Dió tres pasos.** He took three steps.
31. **Pensó para sí.** He thought to himself.
32. **ten cuidado de que...** be careful that you...
33. **Yo creía amarle.** I thought I loved him.
34. **Ya no soñaba.** She was no longer dreaming.
35. **Desde entonces eres...** Since then you have been...
36. **¡Huyamos, por favor!** Please, let's flee!
37. **generoso para con él,** generous toward him.
38. **¡Miserable de mí!** Wretch that I am!
39. **Volvió en sí.** He came to himself.

48

La buenaventura
y otros cuentos

Simplified and Edited

By

CARLOS CASTILLO
The University of Chicago

AND

COLLEY F. SPARKMAN
Belhaven College

Adding 268 new words and 42 new idioms to
the 644 words and 74 idioms used in Books I and II
Total: 912 words and 116 idioms used in Books I–III

BOOK THREE

D. C. HEATH AND COMPANY
BOSTON

TO THE TEACHER

THE FOUR stories contained in this volume were written by well-known Spanish novelists of the nineteenth century. *La buenaventura* and *Las dos glorias* are by Pedro Antonio de Alarcón, author of the famous novel *El sombrero de tres picos*. The Countess Emilia Pardo Bazán, the greatest woman novelist that Spain has produced, is the author of *Temprano y con sol;* and the Jesuit Padre Luis Coloma, who has earned his reputation with a collection of interesting biographies, *Retratos de antaño* and his novel *Pequeñeces*, is the author of *La camisa del hombre feliz.*

We have simplified slightly the language of these stories, and have omitted some difficult passages without actually impairing the narrative. As in the first two volumes of this Series there is only a limited number of new words to the page, and these are repeated as often as possible. New words and idioms are annotated at the foot of the page at their first occurrence, and dependable cognates are starred in the text.

The exercises in this book are designed to lead the student by degrees to make more active use of Spanish, and the idiom list at the back of the book may be used by the instructor as basis for further drill.

The following vocabulary analysis shows the distribution frequency of new and old root-words ranked according to the Buchanan List:

Rank	Number of New Words	Old Words	Total
From the Approximate 250 Common Words Eliminated by Buchanan	3	113	116
From the 1st 500	54	144	198
" " 2d 500	75	37	112
" " 3d 500	32	25	57
" " 4th 500	21	9	30
" " 5th 500	21	5	26
" " 6th 500	15	1	16
" " 7th 500	9	0	9
" " 8th 500	9	0	9
" " 9th 500	0	2	2
" " 10th 500	5	0	5
" " 11th 500	4	0	4
" " 12th 500	4	0	4
" " 13th 500	3	0	3
Not in the Buchanan List	13	0	13
Total	268	336	604

TO THE STUDENT

In the stories which you are about to read there are fewer changes, omissions, and simplifications than in those of the two preceding books of the Series. We hope that you will find much pleasure in reading Spanish prose as written by some of the most important literary figures of the nineteenth century.

The following hints on reading, added to those given you in *De todo un poco* and *Sigamos leyendo* may facilitate your task:

1. Glance over the whole story in order to form a general idea of it.
2. Read the story a second time, paragraph by paragraph, with the aid of the footnotes when necessary, but making as little use as possible of the end-

vocabulary. You should be able to recollect most of the words not found in the footnotes, as they were used repeatedly in Books I and II.

3. Have in mind the meaning of certain word-endings: *–ísimo* in an adjective or adverb means *very* or *most;* the endings *–ito, –ita* in a noun, adjective, or even an adverb, express smallness, diminution in size or distance: *cerca* (near), *cerquita* (quite near); the endings *–illo, –illa,* found in English words of Spanish origin such as *armadillo, flotilla, chinchilla, mantilla,* express smallness with an ironic connotation of insignificance, not devoid at times of pity, affection, or endearment: *hombrecillo* means an *insignificant little man* and *vocecita* (from *voz*) is a *soft little voice.*

4. Acquire the habit of observing certain word relationships. Notice the value of certain suffixes like *–ería,* in *cafetería, zapatería* (shoe store), added to the words *café* and *zapato.* Observe, likewise, the force and meaning of certain prefixes like *des–, in–, im–: desconocido* (unknown), *infeliz* (unhappy), *imposible* (impossible).

THE AUTHORS

v

LA BUENAVENTURA[1]

I

No sé qué día de agosto de 1816 (mil ochocientos dieciséis) llegó a las puertas de la Capitanía[2] general de Granada un pobre gitano[3] de sesenta (60) años de edad, llamado Heredia, montado en un burro[4] miserable.* Se bajó de su burro y dijo con la mayor 5 frescura[5]:

— Quiero ver al Capitán* general.

Los criados se rieron de él y no quisieron dejarle pasar; mas cuando llegó a oídos del conde[6] del Montijo, en aquel entonces[7] Capitán general de 10 Granada, que aquel gitano deseaba verle, mandó que le dejasen pasar.

Entró el gitano en el despacho[8] de su Excelencia* dando dos pasos adelante y uno atrás, que era su modo de andar en las circunstancias* graves,* y 15 poniéndose de rodillas,[9] exclamó*:

— ¡ Viva su Excelencia muchísimos años !

— Levántate, buen hombre, y dime lo que deseas — respondió el conde, quien era persona* de muy buen humor y tenía ya noticias de Heredia, el gitano 20 más chistoso[10] de Granada.

[1] **buenaventura,** fortune (*as told by fortune tellers*). [2] **capitanía,** captaincy (*headquarters of a captain*); **capitán,** captain. [3] **gitano,** gypsy. [4] **montado en un burro,** riding a donkey. [5] **frescura,** coolness, frankness. [6] **conde,** count. [7] **en aquel entonces,** at that time. [8] **despacho,** office. [9] **rodilla,** knee; **poniéndose de rodillas,** kneeling. [10] **chistoso,** witty, funny.

1

Heredia se puso de pie[1] y dijo:

— Pues señor, vengo a que su Excelencia me dé los mil[2] reales.[3]

— ¿ Qué mil reales ?

5 — Los mil reales ofrecidos al que traiga las señas[4] de Parrón.

— Pues ¡ qué ! ¿ tú le conocías ?

— No, señor.

— Entonces . . .

10 — Pero ya le conozco.

— ¡ Cómo !

— Es muy sencillo.[5] Le he buscado; le he visto; traigo las señas, y ahora pido los mil reales.

— ¿ Estás seguro[6] de que le has visto ? — exclamó 15 con mucho interés* el Capitán general.

El gitano se echó a reír[7] y respondió:

— ¡ Es claro !* Su Excelencia pensará: « Este gitano es como todos, y quiere engañarme. »[8] ¡ No me perdone Dios si no digo la verdad ! Ayer vi a Parrón.

20 — ¿ Pero sabes tú la importancia* de lo que dices ? ¿ Sabes que hace tres años que busco a ese bandido[9] a quien nadie conoce ni ha podido ver nunca ? ¿ Sabes que todos los días roba[10] en distintos[11] sitios y después mata a sus víctimas,* porque 25 dice que los muertos no hablan ? ¿ Sabes que ver a Parrón es encontrarse con la muerte ?

---

[1] **ponerse de pie,** to stand up.   [2] **mil,** one thousand.   [3] **real,** *a Spanish coin worth at par about five cents.*   [4] **señas,** description, whereabouts.   [5] **sencillo,** simple.   [6] **seguro,** sure.
[7] **echar,** to throw out; **se echó a reír,** burst out laughing.   [8] **engañar,** to deceive.   [9] **bandido,** bandit.   [10] **robar,** to rob.
[11] **distinto,** different.

2

El gitano se echó a reír otra vez y dijo:

— ¿ Y no sabe su Excelencia que lo que no puede hacer un gitano no lo hace nadie ? Repito, mi general, que no sólo he visto a Parrón, sino que he hablado con él.   5

— ¿ Dónde ?

— En el camino de Tózar.

— ¿ En el camino de Tózar ?

— Sí, señor; hace ocho días que mi burro y yo caímos en poder[1] de unos ladrones.[2] Me ataron[3] 10 muy bien y me llevaron por un camino desconocido[4] para mí a un sitio donde estaban reunidos otros ladrones. Por el camino tuve una sospecha: « ¿ Será esta gente[5] de Parrón ? Entonces no hay remedio[6]; me matan, porque ese bandido mata a quien le 15 ve. » De repente se me acercó un hombre muy bien vestido, quien dándome un golpecito en el hombro[7] y sonriéndose,[8] me dijo: « Amigo, yo soy Parrón. »

Oír esto y caerme de espaldas[9] todo fué una misma 20 cosa. El bandido se echó a reír. Yo me levanté lleno de miedo, me puse de rodillas y exclamé en todos los tonos* de voz que pude inventar*:

— ¡ Bendito[10] seas, rey de los hombres ! Te conocí por esa figura* elegante* que Dios te ha 25 dado. Deja que te dé un abrazo.[11] Tenía muchas

---

[1] **poder,** power; **caímos en poder,** fell into the hands.   [2] **ladrón,** robber.   [3] **atar,** to tie.   [4] **desconocido = no conocido.**
[5] **gente,** people, band.   [6] **remedio,** remedy; **no hay remedio,** it can't be helped.   [7] **hombro,** shoulder.   [8] **sonreír,** to smile.
[9] **espalda,** back; **de espaldas,** on one's back.   [10] **bendito,** blessed.   [11] **abrazo,** embrace, hug.

3

ganas de encontrarte para decirte la buenaventura
y besarte la mano. ¡ También yo soy de los tuyos !¹
¿ Quieres que te enseñe a cambiar burros muertos
por burros vivos ?

5　El Capitán general se rió mucho del gitano chistoso,
y luego le preguntó:

　— ¿ Y qué respondió Parrón a todo eso ? ¿ Qué
hizo ?

　— Lo mismo que su Excelencia: reírse de mí.

10　— ¿ Y tú qué hiciste ?

　— Yo, señor, me reía también, pero al mismo
tiempo me corrían las lágrimas² por la cara.

　— Continúa.*

　— En seguida³ el bandido me dió la mano y me
15 dijo : « Amigo, usted es el único hombre de talento*
que ha caído en mi poder. Todos los demás⁴ tienen
la mala costumbre de llorar⁵ y de hacer o decir cosas
que me ponen de mal humor. Sólo usted me ha
hecho reír . . . pero esas lágrimas . . . »

20　— ¡ Qué, señor, estas lágrimas son de alegría ! —
le contesté yo.

　— Lo creo — dijo el ladrón. — Es la primera vez
que me he reído desde hace seis o siete años. Verdad
es que tampoco he llorado . . . ¡ Eh, muchachos !

25　Al momento* me rodearon⁶ todos los bandidos
con la escopeta⁷ en la mano. Todo fué en un abrir y
cerrar de ojos.⁸ Yo comencé a gritar de miedo.

---

¹ **soy de los tuyos,** I am one of you.　² **lágrima,** tear.
³ **en seguida,** then.　⁴ **los demás,** the others.　⁵ **llorar,** to cry.
⁶ **rodear,** to surround.　⁷ **escopeta,** shotgun.　⁸ **en un abrir y
cerrar de ojos,** in the twinkling of an eye.

— ¡ No, no ! — exclamó Parrón. — Sólo quiero saber qué le habéis quitado a este hombre. ¿ Le habéis robado algo ?

— Un burro.

— ¿ Y dinero ? 5

— Tres duros[1] y siete reales.

— Pues, dejadnos solos.

Todos se fueron, y entonces Parrón me dijo:

— Gitano, ahora dime la buenaventura.

Yo le cogí la mano y pensé un momento. Luego 10 le dije:

— Parrón, tarde o temprano, ya me quites la vida, ya me la perdones,[2] morirás ahorcado.[3]

— ¿ Ahorcado ? Eso ya lo sabía yo — respondió con toda calma* el ladrón. — Dime *cuándo.* 15

Yo pensé de este modo: « Este bandido va a perdonarme la vida; mañana llego a Granada y doy sus señas; pasado mañana[4] le cogen . . . »

— ¿ Cuándo ? — repetí en voz alta. — Pues mira, vas a ser ahorcado el mes próximo.[5] 20

— ¡ Ahorcado el mes próximo ! — exclamó Parrón. — Pues mira tú, gitano, vas a quedarte en mi poder. Si en todo el mes próximo no me ahorcan, te ahorco yo a ti tan cierto como ahorcaron a mi padre. Si me ahorcan durante el mes, quedarás libre. 25

— Muchas gracias — dije yo en mi interior.— ¡ Me perdona después de muerto !

---

[1] **duro,** dollar.   [2] **ya me quites la vida, ya me la perdones,** whether you take my life or whether you spare it.   [3] **ahorcar,** to hang (*on the gallows*).   [4] **pasado mañana,** day after tomorrow.   [5] **próximo,** next.

5

Fuí conducido[1] a una cueva[2] donde me encerraron.[3] Parrón montó[4] a caballo y se fué.

— Vamos, ya comprendo[5] — exclamó el Capitán general. — Parrón ha muerto; tú has quedado libre
5 y por eso sabes sus señas.

— Todo lo contrario, mi general. Parrón vive, y aquí está lo más negro[6] de la historia.

II

Pasaron ocho días desde la tarde en que le dije a Parrón la buenaventura. Nadie le había visto du-
10 rante este tiempo. Uno de los ladrones me dijo:

— Sepa usted que Parrón se va al infierno de vez en cuando[7] y no le vemos durante una o dos semanas. Nunca sabemos lo que hace ni a donde va.

Entretanto[8] yo les dije la buenaventura a todos
15 los ladrones. Les dije que no serían ahorcados y que pasarían una vejez[9] muy tranquila.* Ellos, para pagarme, me sacaban de la cueva todas las tardes y me ataban a un árbol,[10] y dos de ellos me guardaban.*

20 Una tarde a eso de las seis, los ladrones que habían salido aquel día a las órdenes* del segundo de Parrón, volvieron a la cueva con un pobre hombre de unos cincuenta (50) años de edad cuyas lamentaciones* me partían[11] el corazón.

---

[1] conducido, led. [2] cueva, cave. [3] encerrar, to lock up.
[4] montar, to mount, get on (*a horse*). [5] comprender = entender.
[6] lo más negro, the most horrible (blackest) part. [7] de vez en cuando, from time to time. [8] entretanto, in the meantime.
[9] vejez, old age. [10] árbol, tree. [11] partir, to split, break.

6

— ¡ Denme mis veinte duros ! — decía llorando. —
¡ Ay ! ¡ Si supieran con cuanto trabajo los he
ganado ! ¡ Todo un verano trabajando bajo el
sol ! ¡ Todo un verano lejos de mi pueblo, de mi
mujer y de mis hijos ! Así he reunido esos veinte 5
duros para vivir este invierno.[1] Ahora que voy de
vuelta[2] para abrazar[3] a mis hijos y a mi mujer,
ahora que voy a pagar las deudas[4] que han hecho
para comer, me roban el dinero. ¡ Por favor, denme
mis veinte duros ! ¡ Dénmelos por Dios ! 10

Los ladrones contestaron con burlas y risas a las
lamentaciones de aquel miserable. Yo temblaba[5]
de horror en el árbol a que estaba atado.

— No seas loco — exclamó al fin uno de los ladrones, dirigiéndose al[6] pobre padre. — Haces mal 15
en pensar en tu dinero cuando tienes cuidados
mayores en que ocuparte.

— ¡ Cómo ! — dijo él, sin comprender. — ¿ Qué
mal es mayor que dejar sin pan a mi familia ?

— ¡ Estás en poder de Parrón ! 20

— ¿ Parrón ? . . . No le conozco. Nunca he oído
tal nombre. Vengo de muy lejos. Soy de Alicante,
y he estado trabajando en Sevilla todo el verano.

— Pues, amigo mío, Parrón quiere decir[7] la
muerte. Todo el que cae en su poder muere. Pre- 25
párate* para morir. Tienes cuatro minutos.*

— ¡ Óiganme, por compasión ![8] — decía llorando.

---

[1] **invierno,** winter. [2] **ir de vuelta,** to be on one's way back.
[3] **abrazar,** to embrace. [4] **deuda,** debt. [5] **temblar,** to tremble.
[6] **dirigirse a,** to address. [7] **quiere decir,** means. [8] **por compasión,** for pity's sake.

7

— Habla.

— Tengo seis hijos y una infeliz[1] mujer. Ustedes son peores que los tigres.* ¡ Sí peores ! Porque los tigres no se comen unos a otros. ¡ Ah ! ¡ Perdón !* 5 . . . no sé lo que estoy diciendo. ¿ No hay un padre entre ustedes ? ¿ Saben lo que son seis hijos pasando un invierno sin pan ? ¿ Saben lo que es una madre que ve morir a sus hijos, que oye sus voces diciendo: « Tengo hambre, tengo frío » ? Señores, yo no 10 quiero mi vida sino por ellos. ¿ Qué es para mí la vida ? Trabajos, privaciones.* Pero debo vivir para que vivan mis hijos. ¡ Hijos míos ! ¡ Hijos de mi corazón !

Y el pobre padre lloraba y se ponía de rodillas y 15 levantaba hacia los ladrones la cara . . . ¡ qué cara ! Daba compasión. Los bandidos, por fin, sintieron moverse algo dentro de su pecho, pues se miraron unos a otros; y viendo que todos estaban pensando la misma cosa, uno de ellos se atrevió a[2] decirla.

20 — ¿ Qué dijo ? — preguntó el Capitán general, profundamente interesado.*

— Dijo: « Caballeros, lo que vamos a hacer no lo sabrá nunca Parrón. »

— Nunca, nunca — repitieron los otros bandidos.

25 — Váyase usted, buen hombre — exclamó uno.

Yo hice también una seña al hombre de que se fuese[3] al instante.* El infeliz se levantó.

— ¡ Pronto ! ¡ Váyase usted ! — repitieron varias voces.

[1] infeliz, unfortunate. [2] atreverse a, to dare to. [3] Yo hice . . . fuese, I also made a sign to the man to leave.

8

El pobre padre se fué. Pasó media hora. Los ladrones se repitieron durante este tiempo la misma promesa[1]: «Lo que hemos hecho no ha de saberlo nunca[2] Parrón.» De repente llegó Parrón a caballo trayendo otra vez al mismo hombre. Los bandidos se quedaron asombrados,[3] y Parrón se bajó de su caballo muy despacio,[4] sacó su escopeta y dijo: 5

— ¡ Imbéciles !* ¡ No sé cómo no mato a todos ! ¡ Pronto ! Den a este hombre el dinero que le han robado. 10

Los ladrones sacaron los veinte duros y se los entregaron[5] al hombre, el cual se puso de rodillas delante de aquel personaje* que dominaba* a los bandidos y que tenía tan buen corazón.

Parrón le dijo: 15

— Sin las indicaciones* que usted me ha dado, nunca hubiera podido encontrar a mis compañeros.[6] He cumplido[7] mi promesa. Aquí tiene usted sus veinte duros. Levántese y . . . ¡ en marcha ![8]

El pobre hombre le abrazó y se fué lleno de alegría. 20 Pero apenas había andado unos cincuenta (50) pasos cuando Parrón le llamó. El hombre volvió pies atrás.

— ¿ Qué manda usted ? — le preguntó.

— ¿ Conoce usted a Parrón ? — le preguntó el 25 bandido.

---

[1] **promesa**, promise.   [2] **no ha de saberlo nunca,** is never to know it.   [3] **asombrado,** astonished.   [4] **despacio,** slow, slowly. [5] **entregar,** to hand over, deliver.   [6] **compañero,** companion. [7] **cumplir,** to comply with, keep.   [8] **¡ en marcha !** go! on your way!

— No le conozco.

— Sí, le conoce usted. Yo soy Parrón.

El hombre se quedó asombrado mirándole. Parrón, entonces, cogió la escopeta y disparó[1] dos
5 balas.* El hombre cayó muerto.

— ¡ Maldito seas !² — fué lo único que pronunció.*

El gitano continuó:

— En medio del terror vi que el árbol a que yo
estaba atado temblaba. Una de las balas había
10 dado en la cuerda³ que me ataba al árbol, y quedé
libre⁴; pero no me atreví a moverme. Esperé una
ocasión* para huir. Entretanto decía Parrón a los
suyos,⁵ señalando⁶ al muerto:

— Ahora podéis robarle. ¡ Qué imbéciles ! ¡ Dejar
15 libre a ese hombre que se fué dando gritos por los
caminos ! Él me ha dado las señas exactas* de
nuestra cueva, y podría dárselas al Capitán general.

Los ladrones se pusieron a⁷ hacer una sepultura
para el muerto, y Parrón se sentó tranquilamente*
20 a comer. Yo comencé a andar poco a poco, y desaparecí por entre los árboles. Ya era de noche. Comencé a correr, y a la luz de la luna⁸ vi a mi burro que
comía cerca de un árbol al que estaba atado. Me
monté en mi burro y no he parado hasta llegar
25 aquí. Ahora déme usted los mil reales, y yo le daré
las señas de Parrón, quien se ha quedado con todo
mi dinero.

---

¹ disparar, to fire (*a shot*).   ² ¡ maldito seas! curses on
you!   ³ había dado en la cuerda, had struck the rope.
⁴ libre, free.   ⁵ a los suyos, to his men.   ⁶ señalar, to point to.
⁷ ponerse a, to begin to.   ⁸ luna, moon.

El gitano dió las señas del bandido y de la cueva; recibió los mil reales, y salió muy alegre de la Capitanía general, dejando asombrados a todos los que le oyeron.

Ahora sólo nos queda saber si la *buenaventura* que ⁊ le dijo el gitano Heredia a Parrón se cumplió o no se cumplió.

III

Quince días después de la escena[1] que acabamos de relatar,* a eso de las nueve de la mañana, muchísima gente miraba en la calle de San Juan de Dios la 10 reunión[2] de dos compañías* de soldados que debían salir a las nueve y media en busca de[3] Parrón. El Capitán general les había dado las señas personales* del bandido y de sus compañeros.

El interés y la emoción* del público* eran 15 extraordinarios,* y no menos extraordinaria era la solemnidad* con que los soldados se despedían de sus familias* y amigos.

— Parece que ya es hora de salir — dijo un soldado a otro — y no veo a López. 20

— ¡ Cosa rara ! López no está aquí. Él llega siempre antes que nadie cuando se trata de[4] salir en busca de Parrón.

— Pues ¿ no saben lo que ha sucedido ? — dijo otro soldado, tomando parte* en la conversación.* 25

---

[1] **escena,** scene.   [2] **reunión,** assembly, meeting.   [3] **en busca de,** in search of.   [4] **cuando se trata de,** when it is a question of.

11

— ¡ Hola ! Es nuestro nuevo compañero. ¿ Cómo te va en nuestro cuerpo ?[1]

— Perfectamente* — contestó el nuevo.

Era el nuevo compañero un hombre alto, fuerte, 5 de buena cara, de sonrisa agradable.*

— ¿ Qué decías ? — dijo el primer soldado.

— ¡ Ah, sí ! Decía que López ha muerto — contestó el segundo soldado.

— Manuel, ¿ qué dices ? ¡ Eso no puede ser !

10 — Yo mismo he visto a López esta mañana como te veo a ti ahora — dijo uno de los soldados.

El llamado Manuel contestó fríamente[2]:

— Pues, hace media hora que le ha matado Parrón.

— ¿ Parrón ? ¿ Dónde ?

15 — Aquí mismo en Granada; en la Cuesta del Perro se ha encontrado el cuerpo de López.

Todos quedaron silenciosos,* y Manuel comenzó a cantar.

— ¡ Once soldados en seis días ! — exclamó al-20 guien. — Parece que Parrón quiere acabar con noso-tros. Pero ¿ cómo es posible* que esté en Granada ? ¿ No vamos ahora a buscarle en los bosques de Loja ?

Manuel dejó de[3] cantar y dijo fríamente:

— Una vieja que vió morir a López dice que Pa-25 rrón le prometió que también nosotros tendríamos el gusto de verle muy pronto.

— Amigo, ¡ qué calma* la tuya ! Hablas de Parrón con indiferencia.*

[1] ¿ **Cómo te va en nuestro cuerpo ?** How are you getting along in our corps ? [2] **fríamente,** coolly. [3] **dejar de, to cease to.**

12

—Pues ¿ qué es Parrón sino un hombre como nosotros ? — contestó Manuel.

— ¡ A la formación !¹ — gritaron en este momento varias voces.

Comenzaron a pasar lista² en ambas compañías. ₍ En este instante se acercó el gitano Heredia para ver, como todos, aquella formación* de soldados.

Manuel vió al gitano y dió un paso atrás. Al mismo tiempo Heredia fijó en él sus ojos³; y dando un grito terrible, comenzó a correr hacia la calle de 10 San Jerónimo. Manuel disparó una bala al gitano y trató de⁴ huir, pero sus compañeros le cogieron fuertemente y le quitaron el arma.*

— ¡ Está loco ! — decía la gente. — Un soldado se ha vuelto loco.   15

Los soldados y la gente rodearon a Manuel y no le dejaron huir. Le hacían mil preguntas, pero él no contestaba nada. Entretanto Heredia había sido preso⁵ en la plaza de la universidad* por algunos estudiantes⁶ que, viéndole correr, le tomaron por un 20 bandido.

— Llévenme a la Capitanía general — gritaba el gitano. — Tengo que hablar con el conde del Montijo.

— ¡ Qué conde del Montijo ! — le preguntaron. 25 — Allí están los soldados y ellos verán lo que deben hacer contigo.⁷

¹ ¡ a la formación ! fall in (line)!   ² lista, list; pasar lista, to call the roll.   ³ fijó en él sus ojos, noticed him (*cast his eyes on him*).   ⁴ tratar de, to try to.   ⁵ preso, caught.   ⁶ estudiante, student.   ⁷ contigo, with you.

13

—Bueno — contestó Heredia. — Pero tengan ustedes cuidado de que Parrón no me mate.

—¿ Cómo Parrón ? . . . ¿ Qué dice este hombre ?

—Vengan y verán.

5 Diciendo esto el gitano los llevó a donde estaba el comandante* de los soldados, y señalando a Manuel, dijo:

—Señor, ése es Parrón, y yo soy el gitano que dió sus señas al conde del Montijo.

10 —¡ Parrón ! ¡ Parrón ! ¡ Parrón está preso ! ¡ Un soldado era Parrón ! — gritaron muchas voces.

—No tengo la menor duda[1] — dijo el comandante, leyendo las señas que le había dado el Capitán general.— ¡ Qué tontos hemos sido ! ¡ Íbamos a buscar
15 al bandido muy lejos de aquí, y está con nosotros !

—El tonto he sido yo — exclamaba al mismo tiempo Parrón, mirando con ojos de tigre* al gitano.

—¡ Es el único hombre a quien he perdonado* la vida !

20 A la semana siguiente, ahorcaron a Parrón, y así se cumplió al pie de la letra[2] la *buenaventura* del gitano Heredia.

TEMPRANO Y CON SOL[3]

I

EL EMPLEADO[4] que despachaba[5] billetes[6] en la estación[7] del Norte de Madrid hizo un movimiento*

---

[1] **duda,** doubt.　[2] **al pie de la letra,** to the letter, precisely.
[3] Bright and Early.　[4] **empleado,** employé.　[5] **despachar,** to sell, attend to.　[6] **billete,** ticket.　[7] **estación,** station (*of a railway*).

14

de sorpresa cuando la infantil* vocecita pronunció en tono imperativo*:

— ¡ Dos billetes de primera para París !

Acercando la cabeza cuanto pudo, el empleado miró a la niña, y vió que era una morena[1] de once a 5 doce años de edad, de ojos grandes y negros y de cabello también negro. Llevaba un vestido rico y bien cortado, y un sombrerillo que le sentaba a las mil maravillas.[2] La señorita traía de la mano a un caballerito de la misma edad, poco más o menos, que 10 parecía pertenecer[3] a muy distinguida* clase* y a muy rica familia. El caballerito parecía asustado[4]; la señorita parecía alegre, con nerviosa* alegría. El empleado que despachaba los billetes sonrió al verlos y dijo en tono paternal*: 15

— ¿ Directo* o a la frontera ?[5] A la frontera son ciento cincuenta (150) pesetas, y . . .

— Ahí[6] va dinero — contestó la valiente señorita dando al empleado un portamonedas[7] abierto.

El empleado volvió a sonreír, y dijo con acento de 20 sorpresa y compasión*:

— Aquí no hay bastante.

— ¡ Hay quince duros y tres pesetas ! — exclamó la niña.

— No es bastante — repitió el empleado. — Pre- 25 gunten ustedes a sus papás.*

Al decir esto el empleado, el niño se puso colorado[8]

[1] **morena,** brunette.   [2] **le sentaba a las mil maravillas,** was admirably becoming to her.   [3] **pertenecer,** to belong.
[4] **asustado,** frightened.   [5] **frontera,** frontier.   [6] **ahí = allí.**
[7] **portamonedas,** purse.   [8] **colorado,** red; **se puso colorado,** blushed.

15

hasta las orejas; pero la niña, dando una impaciente*
patada¹ en el suelo, gritó:

— ¡ Bien . . . pues entonces . . . un billete más barato !

5   — ¿ Cómo más barato ? ¿ billete de segunda ?
¿ de tercera ? ¿ a una estación más próxima ? ¿ Es-
corial, Ávila ?

— ¡ Ávila, sí, Ávila . . . justamente² Ávila ! — respondió la chica.

10   Dudó el empleado un momento y al fin entregó los
dos billetes, devolviendo³ también el portamonedas.

Sonó la campana; los chicos corrieron; se metieron
en el primer vagón⁴ que vieron sin pensar en buscar
un departamento* donde fuesen solos; y con gran
15 asombro del turista* americano* que ya ocupaba un
sitio en el mismo departamento, comenzaron a bailar.

II

¿ Cómo comenzó aquel amor ?   Pues comenzó
del modo más sencillo, más inocente.*   Comenzó
por una manía.*   Ambos eran coleccionistas.⁵   ¿ De
20 qué ?   Ya os lo podéis imaginar* vosotros los que
tenéis la edad de mis héroes.*   El deseo de ser coleccionista viene entre los cuarenta y los sesenta años.
Es raro* encontrar un coleccionista muy joven;
pero hay una excepción* a esta regla⁶ general: la

---

¹ **dando una impaciente patada,** stamping her foot impa-
tiently; **patada,** stamp of the foot.   ² **justamente,** that's it
(*exactly*).   ³ **devolver,** to return, give back.   ⁴ **vagón,** coach.
⁵ **coleccionista,** collector (*of curios*).   ⁶ **regla,** rule.

manía de reunir una colección* de sellos de correo[1]
viene entre los diez y los quince años de edad. Es
verdad, sin embargo, que hay personas* mayores y
personajes muy graves que tienen la misma manía.

El papá de Finita, cuyo verdadero nombre era 5
Serafina, y la mamá de Currín, cuyo verdadero
nombre era Francisco, se conocían poco. No se
visitaban a pesar de[2] vivir en la misma casa: en el
primer piso,[3] el papá de Finita, y en el segundo piso,
la mamá de Currín. Currín y Finita, en cambio,[4] se 10
encontraban muy a menudo[5] cuando él iba a su
clase y ella salía para su colegio[6]; pero no se habían
fijado bien el uno en el otro hasta cierta mañana en
que Currín vió que Finita llevaba bajo[7] el brazo un
libro rojo,[8] ¡ libro tantas veces deseado y soñado por 15
él! « Me debía haber comprado mamá uno así,
¡ caramba ! El mío no es tan bonito. »

Currín rogó[9] a Finita que le enseñase el magnífico* álbum de sellos. Ella se lo enseñó de buena
gana.[10] 20

— Este sello es del Perú; ése es de Méjico; este
otro es de los Estados Unidos. Mira, aquí están
todos los sellos de las repúblicas* americanas;
tengo la colección completa.*

— ¡ Ay ! ¡ Ay ! ¡ Caramba ! ¡ Qué bonito ! Yo 25
no tengo este sello.

---

[1] **correo,** post office; **sellos de correo,** postage stamps.
[2] **a pesar de,** in spite of. [3] **piso,** floor, story. [4] **en cambio,**
on the other hand. [5] **a menudo,** often. [6] **colegio,** school.
[7] **bajo,** under. [8] **rojo = colorado.** [9] **rogar,** to beg, request.
[10] **de buena gana,** willingly, gladly.

17

Por fin, al ver uno de la república de Liberia que le
pareció muy raro, dijo Currín a Finita:

— ¿ Me lo das ?

— Toma — contestó ella con mucho gusto.

5 — Gracias, hermosa — contestó el galán.*

Finita, al oír el requiebro,[1] se puso del color de su
libro, y entonces Currín se fijó en que era muy guapa,
sobre todo así, colorada y con los ojos negros brillantes* de alegría.

10 — ¿ Sabes que te he de decir una cosa ? — dijo el
chico.

— Anda, dímela.[2]

— Hoy no.

La criada que acompañaba a Finita al colegio
15 había esperado con paciencia* hasta aquel momento,
pero ahora le pareció que la conversación era demasiado larga, y pronunció un « vamos señorita »
que significaba*: « Hay que ir al colegio. »

Currín se quedó admirando* su sello y pensando en
20 Finita. Era Currín un chico dulce[3] de carácter* a
quien le gustaban mucho los dramas tristes y las
novelas* de aventuras[4] extraordinarias. También
le gustaba mucho leer versos* y aprendérselos de
memoria.* Siempre estaba pensando en algo raro y
25 maravilloso; y de noche soñaba con cosas más
maravillosas aún. Desde que coleccionaba[5] sellos,
soñaba con viajes alrededor del mundo y por países
desconocidos. Aquella noche soñó con un viaje a

[1] **al oír el requiebro,** on hearing the compliment. [2] **anda,
dímela,** all right, go ahead and tell me. [3] **dulce,** gentle.
[4] **aventura,** adventure. [5] **coleccionar,** to collect.

18

Terranova,[1] país de los sellos hermosos. Soñó que él y Finita se paseaban por una playa de aquel país glacial.

Al otro día se encontraron otra vez al bajar la escalera.[2] Currín llevaba algunos sellos para regalar[3] a Finita. En cuanto la dama* vió a su galán, sonrió y se acercó con misterio.*

— Aquí te traigo estos sellos de correo — dijo él.

Finita se puso un dedo[4] sobre los labios para indicar* al chico que no hablase delante de la criada. Currín, sin decir palabra, le entregó los sellos. Finita, sin duda, esperaba otra cosa, y acercándose a Currín le dijo al oído[5]:

— ¿ Y aquello ?

— ¿ Aquello ?

— Lo que me ibas a decir ayer.

Currín suspiró, miró al suelo y dijo:

— No era nada.

— ¿ Cómo nada ? — dijo Finita furiosa.* — ¡ Qué idiota !* ¿ Nada, eh ?

Y el muchacho algo nervioso, apretando[6] entre sus dedos algunos sellos, se puso muy cerquita del oído de la niña,[7] y dijo suavemente: — Sí, era algo . . . quería decirte que eres . . . ¡ muy guapita !

Currín echó a correr escalera abajo[8] y desapareció; pero al día siguiente escribió unos versos en que decía a Finita:

[1] **Terranova,** Newfoundland.   [2] **escalera,** stairway.   [3] **regalar,** to give (*as a gift*).   [4] **dedo,** finger.   [5] **dijo al oído,** whispered.   [6] **apretar,** to clasp, squeeze.   [7] **se puso . . . niña,** drew very close to the girl's ear.   [8] **echó . . . ^bajo,** rushed headlong downstairs.

Nace [1] el amor de la nada,
De una mirada [2] tranquila.
Al girar de una pupila [3]
Se halla [4] un alma [5] enamorada.

5   Estos versos los sacó Currín de un libro; pero lo
importante es que se sentía tal como los versos decían: enamorado, muy enamorado.   No pensaba
más que en Finita.   Se compró una corbata[6] nueva,
y suspiraba a solas.[7]

10   Al fin de la semana Finita y Currín eran novios
en regla.[8]   La criada cerraba los ojos . . . o no veía,
creyendo que allí se hablaba sólo de sellos.   Ella
también estaba enamorada del portero.

Cierta tarde creyó el portero que soñaba.   ¿ No
15 era aquélla la señorita Finita que iba sola con un
bolsillo[9] al brazo ?   ¿ Y no era aquél que iba detrás
de la señorita el señorito Currín ?   ¿ Y no se subían
los dos en un automóvil ?   ¡ Por Dios, cómo están
los tiempos y las costumbres !   ¿ Y a dónde irán ?
20 ¿ Subiré a dar la noticia a sus padres ?   ¿ Qué hace
en este caso un hombre de bien ?[10]

III

— Oye — dijo Finita a Currín apenas el tren se
puso en marcha — Ávila ¿cómo es ?   ¿Muy grande ?
¿ Bonita lo mismo que París ?

[1] **nacer,** to be born.   [2] **mirada,** look, glance.   [3] **al girar de
una pupila,** at the turn of an eye.   [4] **se halla,** is (*finds itself*).
[5] **alma,** soul.   [6] **corbata,** necktie.   [7] **suspiraba a solas,** sighed
when all alone.   [8] **novios en regla,** regular sweethearts.   [9] **bolsillo,** bag.   [10] **hombre de bien,** honest man.

— No — respondió Currín con cierta duda. — Creo que es un pueblo pequeño junto al mar.

— Pues entonces no debemos quedarnos allí. Hay que seguir hasta París, y también quiero ver las Pirámides* de Egipto.* 5

— Sí . . . dudó Currín . . . ¿ y el dinero ?

— ¿ El dinero ? — contestó Finita. — Eres muy tonto; el dinero se pide prestado.[1]

— ¿ Y a quién ?

— A cualquiera. 10

— ¿ Y si no nos lo quieren dar ?

— ¿ Y por qué, tonto ? Yo tengo mi reloj de oro que empeñar.[2] Tú también tienes tu reloj de oro. Empeñamos los dos relojes. Podemos empeñar fácilmente otras cosas. Además escribiremos a papá 15 que nos envíe un . . . una letra.[3] Papá las está enviando cada día a todas partes.

— Tu papá estará[4] en este momento echando chispas,[5] y no nos mandará nada. Mi mamá también estará echando chispas . . . porque, Finita . . . hemos 20 hecho mal . . . no sé qué será de nosotros.

— Pues empeña tu reloj de oro. ¡ Vamos a divertirnos[6] tanto en Ávila ! Me llevarás al café y al teatro.

Cuando oyeron gritar: «¡ Ávila ! ¡ Veinticinco 25 minutos !» se bajaron muy aprisa del tren. La gente bajaba también y todos se dirigían[7] con paso

---

[1] **se pide prestado,** one borrows. [2] **empeñar,** to pawn.
[3] **letra,** draft. [4] **estará,** probably is. [5] **chispa,** spark; **echando chispas,** raving (*spitting fire*). [6] **divertirse,** to enjoy oneself.
[7] **dirigirse a = ir a.**

firme* a uno u otro lado de la estación; pero Currín
y Finita no sabían qué hacer.

— ¿ Por dónde se va a Ávila ? — preguntó Currín
a un mozo[1] que no hizo más que reírse de ellos.

5   Se dirigieron a una puerta, entregaron sus billetes,
y se metieron en un automóvil que los llevó al Hotel
Inglés. Entretanto el gobernador[2] de Ávila acababa
de recibir un telegrama* de Madrid para la captura*
de los fugitivos.* La captura se hizo en toda regla,[3]
10 y los fugitivos fueron llevados sin pérdida[4] de tiempo
del Hotel Inglés a Madrid.

Ambos fueron castigados[5]: Finita fué puesta en
un convento, y Currín en un colegio, de donde no se
les permitió salir en todo un año, ni aun los domingos.

15 Como consecuencia* de aquella tragedia* el papá de
Finita y la mamá de Currín tuvieron ocasión de
hablarse y conocerse bien. El papá de Finita se
fijó en lo bien conservada[6] que estaba la mamá de
Currín, y ésta se fijó en que el banquero[7] tenía
20 cualidades[8] excelentes, era hombre muy práctico*
en los negocios, y caballero muy galán con las damas.
Su mutua[9] admiración* era mayor de día en día,
y . . . no tenemos noticias exactas, pero creemos que
Finita y Currín llegaron a ser . . .

25   — Marido y mujer, por supuesto.[10]

— No, hombre, no; hermanos políticos.[11]

[1] **mozo,** servant.   [2] **gobernador,** governor.   [3] **se hizo en
toda regla,** was made in due form.   [4] **pérdida,** loss.   [5] **castigado,** punished.   [6] **se fijó en lo bien conservada,** noticed how
well preserved.   [7] **banquero,** banker.   [8] **cualidad,** quality.
[9] **mutuo,** mutual.   [10] **por supuesto,** of course.   [11] **hermanos
políticos,** stepbrother and stepsister.

LAS DOS GLORIAS*

Un día que el gran pintor[1] Pedro Pablo Rubens visitaba los templos[2] de Madrid, acompañado de sus discípulos,[3] entró en la iglesia de un humilde[4] convento.*

Poco o nada encontró que admirar el ilustre* artista* en aquel pobre templo, y ya se iba cuando se fijó en cierto cuadro que estaba en un rincón.[5] Se acercó a él, y dió un grito de asombro.

Sus discípulos le rodearon al momento, preguntándole:

— ¿ Qué habéis encontrado, maestro ?

— ¡ Mirad ! — dijo Rubens, señalando al cuadro que tenía delante.

Los discípulos quedaron tan asombrados como el maestro. Representaba* aquel cuadro la muerte de un religioso. Era éste muy joven y bello, y estaba tendido[6] sobre el suelo, una mano sobre una calavera,[7] la otra sobre el corazón, apretando un crucifijo.*

En el fondo[8] del cuadro se veía pintado otro cuadro, que parecía colgado[9] sobre la cama de donde el religioso había salido para morir con más humildad sobre el suelo.

Aquel segundo cuadro representaba a una difunta,[10] joven y hermosa, tendida en el ataúd.[11]

---

[1] **pintor,** artist (*painter*). [2] **templo,** shrine, church. [3] **discípulo,** disciple, pupil. [4] **humilde,** humble. [5] **rincón,** corner. [6] **tendido,** stretched out. [7] **calavera,** skull. [8] **fondo,** background. [9] **colgado,** hanging, suspended. [10] **difunta,** dead woman. [11] **ataúd,** coffin.

Nadie hubiera podido mirar estas dos escenas, contenida la una dentro de la otra, sin comprender que se explicaban y completaban recíprocamente. Un amor desgraciado,[1] una esperanza[2] muerta, un
5 desengaño[3] de la vida: éste era sin duda el misterio de los dos dramas que encerraba aquel cuadro. El color, la composición, todo revelaba[4] un genio[5] de primer orden.

— Maestro, ¿ de quién puede ser este magnífico
10 cuadro ? — preguntaron a Rubens sus discípulos.

— En este sitio — respondió el maestro señalando con el dedo — había sin duda un nombre escrito; hace pocos meses que ha sido borrado.[6] La pintura no tiene más de treinta años, ni menos de veinte.
15 — Pero el autor . . .

— El autor, según[7] el mérito* del cuadro, pudiera ser Velázquez, Zurbarán, Ribera, o el joven Murillo cuyas pinturas[8] admiro tanto. Pero Velázquez no siente de este modo. El color es diferente* del de
20 Zurbarán; Murillo es más tierno[9]; Ribera es más sombrío.[10] Ese estilo[11] no pertenece a la escuela de uno ni a la del otro. La verdad es que yo no conozco al autor de este cuadro, y no he visto jamás obras suyas. Además, creo que el pintor desconocido, acaso
25 ya muerto, que ha dejado al mundo tal maravilla, no perteneció a ninguna escuela de pintura, ni ha pintado[12] más cuadro que éste. Ésta es una obra de

[1] **desgraciado,** unfortunate.   [2] **esperanza,** hope.   [3] **desengaño,** disillusion.   [4] **revelar,** to reveal.   [5] **genio,** genius.
[6] **borrado,** erased.   [7] **según,** according to.   [8] **pintura,** painting.   [9] **tierno,** tender.   [10] **sombrío,** gloomy, austere.   [11] **estilo,** style.   [12] **pintar,** to paint.

24

verdadera y pura inspiración,* un asunto[1] personal, un pedazo de la vida... Pero... ¡ qué idea ! ¿ Queréis saber quién ha pintado ese cuadro ? Pues lo ha pintado ese mismo muerto que vemos en él.   5

— ¡ Eh ! Maestro, ¿ es posible ?

— Sí, lo es.

— Pero ¿ cómo es posible que un difunto haya podido pintar su propia muerte ?

— Es muy posible que un vivo pueda imaginar o 10 representar su propia muerte. Además, ¿ no sabéis que entrar en ciertas órdenes religiosas es morir ?

— Es verdad, pero... aquella difunta.

— Creo que aquella mujer que está en el fondo del cuadro era la vida del religioso que está tendido 15 sobre el suelo; creo que cuando ella murió, él se creyó también muerto, y en verdad murió para el mundo; creo, en fin, que esta obra, más que el último instante de su héroe o de su autor (que sin duda son una misma persona) representa* una 20 esperanza muerta, un desengaño de la vida.

— ¿ De modo que el autor de esta obra puede vivir todavía ?

— Sí, señor; puede vivir todavía; y como ya ha pasado bastante tiempo, acaso el desconocido artista 25 sea ahora un viejo muy gordo[2] y muy alegre. Por todo lo cual, ¡ hay que buscarle ! Debemos, sobre todo, saber si pintó más cuadros.

Diciendo esto, Rubens se dirigió a un religioso

---

[1] **asunto,** matter.   [2] **gordo,** fat.

que estaba de rodillas delante de un altar, y le preguntó:

— ¿ Quiere usted decirle al padre superior que deseo hablarle de parte del rey ?

5 El religioso, que era hombre de alguna edad, se levantó con dificultad,* y contestó con voz humilde:

— ¿ Qué me quiere usted ? Yo soy el padre superior.

— Perdone, padre mío, esta interrupción* — con-
10 testó Rubens. — ¿ Puede usted decirme quién es el autor de este cuadro ?

— ¿ De ese cuadro ? — exclamó el religioso. — ¿ Qué pensaría usted de mí si le dijese que no me acuerdo ?

15 — ¿ Cómo ? ¿ Lo sabía usted y lo ha olvidado ?[1]

— Sí, hijo mío; lo he olvidado completamente.

— Padre, — dijo Rubens riéndose — ¡ qué mala memoria tiene usted !

El religioso volvió a ponerse de rodillas ante[2] el
20 altar sin hacerle caso.[3]

— ¡ Vengo en nombre del rey ! — gritó el pintor.

— ¿ Qué más quiere usted, hermano mío — contestó el padre, levantando la cabeza.

— Comprar este cuadro.

25 — Ese cuadro no se vende.

— Pues bien, dígame dónde encontraré a su autor. Su Majestad desea conocerle, y yo necesito abrazarle, felicitarle,[4] mostrarle[5] mi admiración y mi cariño.

---

[1] olvidar, to forget. [2] ante, before, in front of. [3] sin hacerle caso, without paying any attention to him. [4] felicitar, to congratulate. [5] mostrar, to show.

26

— Todo eso es imposible. Su autor no está ya en el mundo.

— ¡ Ha muerto ! — exclamó Rubens con desesperación.*

— El maestro tenía razón — pronunció uno de los discípulos. — Ese cuadro está pintado por un difunto.

— ¡ Ha muerto ! — repitió Rubens. — Nadie le ha conocido y se ha olvidado su nombre. Su nombre debió ser inmortal.* ¡ Su nombre que debió ser más grande que el mío ! ¡ Sí, el mío ! . . . padre . . . continuó el artista con noble orgullo. — ¡ Porque yo soy Pedro Pablo Rubens !

Al oír este nombre, conocido en todo el universo, escrito en cien cuadros religiosos, verdaderas maravillas del arte, el padre se levantó lleno de sorpresa y entusiasmo.*

— ¡ Ah ! ¡ Me conocía usted ! — exclamó Rubens con infantil satisfacción.* — ¡ Me alegro ! Así será menos malo conmigo. ¿ Me vende usted el cuadro ?

— Es imposible.*

— Pues bien, ¿ sabe usted de alguna otra obra de ese gran pintor ? ¿ Sabe usted su nombre ? ¿ No podrá recordarlo ? ¿ Quiere decirme cuándo murió ?

— Usted me ha comprendido mal — dijo el padre. — He dicho que el autor de esa pintura no pertenece al mundo; pero eso no significa que haya muerto.

— ¡ Oh ! ¡ vive ! ¡ vive ! — exclamaron todos los pintores. — Queremos conocerle.

— ¿ Para qué ? El infeliz[1] ha dejado el mundo, y

---

[1] infeliz, poor wretch.

27

nada tiene que ver con[1] los hombres. ¡Nada!
¡Dejadle morir en paz!

— ¡Oh! — dijo Rubens. — ¡Eso no puede ser,
padre mío! ¿En qué convento está el gran artista?
5 Yo iré a buscarle y le devolveré al mundo. ¡Oh!
¡Cuánta gloria le espera!

— Pero ... ¿ si él no quiere tal gloria?

— Si él no quiere volver al mundo, yo iré a ver al
Papa[2]; él le dirá que vuelva.

10 — ¡El Papa! — exclamó el religioso.

— Sí, padre; conozco al Papa — dijo Rubens.

— No diría el nombre de ese pintor aunque lo
recordase. Tampoco diré el nombre del convento en
que está.

15 — ¡Lo dirá usted al rey y al Papa! — respondió Rubens con desesperación. — Yo hablaré con
ellos.

— ¡Oh! ¡No lo hará usted! ¡Haría muy mal,
señor Rubens! Llévese usted el cuadro si quiere,
20 pero deje en paz al artista. ¡Sí! Yo he conocido, yo
he amado, a ese pintor, a ese gran hombre, como
usted le llama, a ese infeliz, como yo le llamo; pero
hoy está cerca de la suprema* felicidad.[3] ¡La gloria!
¿Cree usted que ese hombre, antes de dejar el
25 mundo, antes de renunciar[4] a la fama,* al amor, a la
juventud,[5] al poder y a las riquezas,[6] no ha tenido una
terrible lucha[7] dentro de su corazón? Los desengaños del mundo le llevaron al conocimiento de la

[1] tiene que ver con, has to do with. [2] el Papa, the Pope.
[3] felicidad, happiness. [4] renunciar, to renounce. [5] juventud,
youth. [6] riquezas, riches. [7] lucha, struggle.

28

mentira[1] de las cosas humanas. ¿ Y ahora quiere usted volverle a la lucha ? Déjele en paz, señor Rubens.

— Pero, ¡ eso es renunciar a la inmortalidad* ! — gritó Rubens.   5

— No; eso es buscar la inmortalidad por otro camino.

— ¿ Y con qué derecho[2] habla usted por el artista ?

— Lo hago con el derecho de un hermano mayor, de un maestro, de un padre; porque todo eso soy 10 para él. ¡ Lo hago en el nombre de Dios !

Diciendo esto, el religioso se cubrió la cabeza y se fué andando a lo largo del[3] templo.

— Vámonos — dijo Rubens. — Ya sé lo que debo hacer.   15

— ¡ Maestro ! — exclamó uno de los jóvenes, que durante la conversación anterior había estado mirando alternativamente* al cuadro y al religioso, — ¿ No cree usted, como yo, que el padre superior se parece muchísimo al joven que se muere en este 20 cuadro ?

— ¡ Es verdad ! — exclamaron los otros.

— El maestro tenía razón cuando nos dijo que ese religioso muerto era a un mismo tiempo retrato[4] y obra de un religioso vivo.   25

— ¡ Él es . . . sí ! — dijo Rubens, mirando aún al viejo que desaparecía al otro extremo del templo. — Vámonos; ese hombre tiene razón. Su gloria es más grande que la mía. ¡ Dejémosle en paz !

[1] **mentira,** deceit, falsehood.   [2] **derecho,** right.   [3] **a lo largo de,** the length of.   [4] **retrato,** portrait.

Y dirigiendo una última mirada al cuadro que tanto había admirado, salió del templo y se fué a Palacio donde el rey le esperaba para comer.

Tres días después volvió Rubens enteramente[1] 5 solo al templo para contemplar* una vez más la maravillosa pintura, y para hablar, si fuese posible, con el autor. Pero el cuadro no estaba en su sitio. En cambio, vió que en el centro* del templo estaba un ataúd en el suelo, rodeado[2] de muchos religiosos 10 que cantaban.

Rubens se acercó para mirar la cara del muerto, y vió que era el padre superior.

— ¡ Gran pintor fué ! — exclamó luego que la sorpresa y el dolor le dejaron hablar. — ¡ Ahora es 15 cuando más se parece a su obra !

LA CAMISA DEL HOMBRE FELIZ

I

Manolo, ¿ quieres que te cuente un cuento[3] para ti solo ? Voy a darte gusto, pero te pido una cosa: no mires en estas páginas sólo un recuerdo de quien te quiere mucho; mira también una lección de quien 20 se interesa* por ti más todavía.

Eres rico y noble, y te ha dado Dios una inteligencia* clara; pero cree, Manolo, que ninguna de estas cosas hace la vida más feliz y más buena.

---

[1] **enteramente,** entirely. [2] **rodeado,** surrounded. [3] **contar un cuento,** to tell a story.

Sólo tu corazón podrá darte la felicidad, si lo conservas, como hasta ahora, generoso* y bueno. Dijo un poeta:

> En mí tengo la fuente de alegría,
> Siempre la tuve ... ¡ Yo no lo sabía !   5

Sábelo, pues, desde ahora, y no lo olvides nunca. Así los desengaños de la vida no tendrán que enseñarte la profunda* verdad que este cuento enseña: *El corazón que nada desea ni teme, es el solo que posee[1] la felicidad.*   10

II

No sé si leí este cuento, ni recuerdo tampoco si me lo contaron, o si lo soñé en alguna noche de insomnio.*

Es lo cierto que allá en los tiempos de Mari-Castaña[2] vivía en la Arabia Feliz el rey Bertoldo I, 15 llamado el Grande por ser el más gordo[3] de todos los reyes de aquella época. Su Majestad era muy perezoso[4] y se pasaba la vida tendido en un sofá* fumando,[5] mientras sus esclavas[6] le espantaban[7] las moscas con enormes abanicos[8] de pluma, y sus 20 esclavos le cantaban al son[9] de una música extraña[10] en un idioma todavía más extraño:

[1] **poseer,** to possess.   [2] **es lo ... Mari-Castaña,** the fact is that long, long ago.   [3] **por ser el más gordo,** on account of being the fattest.   [4] **perezoso,** lazy.   [5] **fumar,** to smoke.   [6] **esclava,** female slave.   [7] **espantar,** to frighten.   [8] **abanico,** fan; **abanico de pluma,** feather fan.   [9] **son,** sound; **al son de,** to the sound of.   [10] **extraño,** strange.

31

Maka-kachú, Maka-kachú
Sank-fú, Sank-fú
Chiriví-kó-kó.

Sucedió, pues, que esta grandísima pereza[1] le
5 ocasionó a su Majestad una enfermedad[2] extraña;
porque créemelo, Manolo, la pereza es la causa*
de muchas enfermedades extrañas. Fué necesario
llamar a los mejores médicos del mundo.

Un médico alemán[3] dijo que su Majestad se
10 moriría si no tomaba tres gotas de cierta medicina*
muy fuerte cada siete años; y pronunció en su idioma
el nombre de la terrible enfermedad. El doctor
Hall, graduado* en Oxford, dijo que aquella enfermedad se llamaba en inglés *spleen*, y que los hijos
15 de la blanca Albión[4] se curaban[5] de ella disparándose
una bala en la cabeza. Un médico de París dijo que
tal enfermedad se llamaba en su idioma *ennui*[6] y
que se curaba fácilmente en su país con bailes y
música. Un médico español dijo que era bien cono-
20 cida la enfermedad en su país, pero que nadie moría
de ella. Bastaría,[7] según él, para curar a su Majestad, ponerle a hacer surcos en el campo doce horas
diarias, y no espantarle las moscas con abanicos de
pluma, sino con un buen látigo.[8]
25 Se pusieron en práctica* las recetas,[9] excepto* las
del inglés y el español, por ser la una demasiado
radical, y la otra demasiado cruel. Mas su Majestad

---

[1] **pereza,** laziness. [2] **enfermedad,** illness. [3] **alemán,**
German. [4] **los hijos de la blanca Albión** = los ingleses. [5] **curar,** to cure. [6] **ennui** (*French*), boredom. [7] **bastar,** to suffice.
[8] **látigo,** whip, lash. [9] **receta,** prescription.

32

empeoraba[1] de día en día, y ya estaba a las puertas de la muerte.

Entonces ofrecieron mucho oro, muchas riquezas y mucho poder a cualquier hombre o mujer que devolviese la salud al rey; pero nadie venía al Palacio 5 con la medicina deseada, y los cortesanos[2] comenzaron a abandonar* los salones de Bertoldo I para ocupar los del futuro* Bertoldo II.

Ya parecía perdida toda esperanza, cuando una tarde vino a Palacio un hombrecillo montado en un 10 burro. Llevaba un libro y un paraguas[3] rojo. Se bajó a las puertas del Palacio y dijo que era un médico israelita,* y que venía a curar al rey. Salieron a recibirle todos los cortesanos y los grandes, cuyas cabezas sin cabellos presentaban* a lo lejos como 15 un inmenso panorama de melones blancos. Inmediatamente* le llevaron a la habitación del rey. Estaba éste boca arriba respirando con gran dificultad; tenía puesta la corona[4] de oro, y sobre su enorme abdomen estaba sentado su gato[5] favorito. 20

El médico examinó* muy despacio[6] y con gran cuidado a su Majestad; luego hizo algunos signos extraños sobre él; tomó un gran alfiler[7] y lo metió en la cabeza del paciente,* pero éste no dió señal alguna[8] de vida. 25

— Su Majestad tiene la cabeza vacía[9] — exclamó el israelita.

---

[1] **empeorar,** to grow worse. [2] **cortesano,** courtier. [3] **paraguas (para + aguas),** umbrella. [4] **corona,** crown. [5] **gato,** cat. [6] **despacio,** slowly. [7] **alfiler,** pin. [8] **no dió señal alguna,** gave no sign whatever. [9] **vacío,** empty, hollow.

Después le metió el alfiler en el corazón, y el rey no hizo el menor movimiento.

— Su Majestad tiene el corazón de corcho[1] — dijo entonces el médico.

5 Después le metió el alfiler en el estómago,[2] y su Majestad dió un grito terrible. Los cortesanos se espantaron; algunos cayeron boca abajo gritando: « ¡ Sólo Alá es grande ! », y el gato favorito huyó con la cola[3] en el aire. Sólo el médico israelita 10 quedó inmóvil.[4]

— Su Majestad ha trabajado mucho con el estómago — dijo.

— La sabiduría[5] habla por tu boca — respondió el primer ministro.*

15 El médico abrió entonces un libro extraño en que se veían pintados los signos del Zodíaco.* Hizo sobre él algunos movimientos misteriosos,* y dijo al fin que el rey moriría sin duda si antes que llegase la luna llena no se ponía la camisa de un hombre feliz.

20 Los cortesanos creyeron la receta muy sencilla, y abandonaron inmediatamente los salones del futuro Bertoldo II para volver a los del presente Bertoldo I. El mismo rey sintió gran esperanza, y con la esperanza más hambre que el día anterior; así es que su 25 Majestad pudo comer aquella tarde un buen biftec,[6] tres pollos,[7] pan, vino, fruta y otras cositas que se publicaron[8] en *La gaceta*[9] *de la corte*.

---

[1] **corcho,** cork. [2] **estómago,** stomach. [3] **cola,** tail. [4] **inmóvil,** motionless. [5] **sabiduría,** wisdom. [6] **biftec** (*beefsteak*), steak. [7] **pollo,** chicken. [8] **publicar,** to publish. [9] **gaceta,** gazette: *La gaceta de la corte*, The Court Gazette.

El primer ministro reunió aquella misma noche el Consejo del Estado[1] para decidir el estilo de la camisa, y si era necesario que fuese una camisa limpia. La discusión del Consejo del Estado fué muy animada. Un viejo interrumpió el debate preguntando cuál de ellos era el hombre feliz que había de dar[2] la camisa. Todos se quedaron en silencio al oír tal pregunta, y uno después de otro abandonaron el salón sin decir palabra, porque ninguno creía su camisa capaz[3] de producir tan maravillosos resultados.[4]

Entonces el primer ministro publicó en *La gaceta de la corte* una orden mandando a todos los hombres felices de la capital que se presentasen en Palacio; pero nadie vino, y entretanto la luna crecía[5] poco a poco. Se publicó la misma orden en todas las ciudades y pueblos con el mismo resultado. Nadie vino a Palacio.

El primer ministro estaba desesperado,[6] porque con la muerte de Bertoldo I perdería su empleo.[7] Por eso salió en persona a buscar la camisa deseada; pero en vano fué desde el Mar Bermejo (*Red*) hasta el Golfo de Persia, y en vano* pasó varios días viajando por el desierto.[8] ¡ Ninguno creía ser feliz[9] en aquella nación* que lleva el hermoso nombre de la Arabia Feliz !

Un día se sentó el primer ministro al pie de un

---

[1] **Consejo del Estado,** Cabinet (*Council of State*). [2] **que había de dar,** who was to give. [3] **capaz,** capable. [4] **resultado,** result. [5] **crecer,** to grow. [6] **desesperado,** desperate, frantic. [7] **empleo,** position, employment. [8] **desierto,** desert, wilderness. [9] **creía ser feliz,** thought he was happy.

árbol. Estaba muy cansado y muy triste. De repente se levantó un viento[1] fuerte y el primer ministro tuvo que meterse en una cueva. Dentro de la cueva encontró a un viejo que le ofreció agua y
5 fruta.*

— ¿ Qué buscas en este desierto ? — preguntó el viejo.

— Busco al hombre feliz que no he encontrado en la corte — contestó el primer ministro.

10 — ¡ Alá es grande ! — dijo el viejo. — Yo soy feliz.

— ¿ Tú ? — exclamó el primer ministro asombrado. — ¿ Tú eres feliz ?

— ¡ Alá es grande ! — repitió el viejo.

15 — ¿ Pero cómo eres feliz en esta cueva ?

— Porque no deseo otra ni temo perder ésta.

— ¿ Pero dónde encuentras tú la felicidad ? — preguntó el primer ministro sin comprender la profunda respuesta del viejo.

20 — Dentro de mí mismo.

Entonces el primer ministro, lleno de alegría, le entregó unas monedas de oro, y le pidió su camisa. Pero . . . ¡ oh sorpresa ! ¡ oh desengaño cruel !

¡ El hombre feliz no tenía camisa !

[1] **viento,** wind.

36

EJERCICIOS

LA BUENAVENTURA

I. *Answer orally:*

1. ¿ Cómo se llamaba (*What was the name of*) el gitano ?
2. ¿ Cómo se llamaba el Capitán general ? 3. ¿ Sabemos cómo se llamaba el pobre padre ? 4. ¿ Cómo se llamaba el nuevo soldado ? 4. ¿ Quién era Parrón ? 5. ¿ Quién era López ? 6. ¿ Quién era Manuel ?

II. *The following sentences are not wholly true; make the changes necessary to make them true throughout:*

EXAMPLE: El gitano dió dos pasos adelante y dos (*say* uno) atrás.

1. El conde era un hombre de muy mal humor. 2. El Capitán general se rió de Heredia. 3. El gitano había visto al bandido, pero no había hablado con él. 4. Los bandidos llevaron a Heredia por un camino conocido. 5. Heredia se levantó cuando el gitano se echó a reír. 6. El gitano estuvo un mes en poder de Parrón. 7. Al oír las lamentaciones del pobre padre, el segundo de Parrón le hizo una seña de que se fuese al instante. 8. Al día siguiente, Parrón llegó en un burro negro trayendo al mismo hombre. 9. Los ladrones le dieron la mitad del dinero que le habían robado. 10. Uno de los hombres de Parrón cogió la escopeta y le disparó dos balas al pobre hombre. 11. Era de día cuando Heredia desapareció entre los árboles. 12. Al huir, Manuel había sido preso por algunos estudiantes.

III. *Give the English equivalents of the following idiomatic expressions:*

1. El gitano se puso de pie. 2. Ya le conozco. 3. Su Excelencia pensará. 4. ¿ Será esta gente de Parrón ? 5. Yo soy de los tuyos. 6. Parrón se echó a reír. 7. El bandido me dió la mano. 8. Todo fué en un abrir y cerrar de ojos. 9. Ya me quites la vida, ya me la perdones, morirás ahorcado. 10. Parrón montó a caballo y se fué. 11. Aquí está lo más negro de la historia. 12. Una tarde, a eso de las seis, volvieron a la cueva. 13. Ahora voy de vuelta. 14. Parrón quiere decir la muerte. 15. Tengo hambre, tengo frío. 16. El pobre padre se puso de rodillas. 17. ¡ Levántese, y en marcha ! 18. El hombre volvió pies atrás. 19. Los ladrones se pusieron a hacer una sepultura para el muerto. 20. Ya era de noche. 21. Ahora se trata de salir en busca de Parrón. 22. El nuevo soldado dijo: — Hace media hora que Parrón mató a López. 23. Manuel dejó de cantar. 24. ¡ A la formación ! — gritaron varias voces. 25. Un soldado se ha vuelto loco. 26. A la mañana siguiente, se cumplió al pie de la letra la buenaventura.

TEMPRANO Y CON SOL

I. *Find the English cognate (obviously similar word) of each word below, in spite of the slight differences in sound or appearance:*

aventura	carácter	Egipto	pirámide
bandido	cierto	estación	rico
banquero	consecuencia	frontera	sorpresa

II. *Form verbs of the following words, after the manner of each example:*

EXAMPLES: 1. admiración — admirar (*admiration — to admire*); 2. asombro — asombrar (*astonishment — to astonish.*)

captura	deseo	indicación	pronunciación
completo	exclamación	nombre	viaje
conversación	imaginación	pregunta	visita

III. *Give the basic words on which these diminutives are built:*

caballerito	golpecito	sombrerillo
cerquita	guapito	vocecita

IV. *Form diminutives of the following words by omitting the final vowel ending and adding the suffix –ito (–ita if feminine); give the English equivalents of the diminutives formed:*

chica (*what additional change is necessary in this word?*), chico, Juan, Juana, muchacha, muchacho, niña, niño, papel, Pedro

V. *Answer in brief Spanish phrases:*

1. ¿ Quién despachaba los billetes ? 2. ¿ Cuántos años tenía la niña ? ¿ el caballerito ? 3. ¿ Cuánto valía el billete a la frontera ? 4. ¿ Cuánto dinero les faltaba ? 5. ¿ A dónde querían ir ? 6. ¿ Cómo se llamaba la niña ? ¿ el caballerito ? 7. ¿ Cuál era el verdadero nombre de la niña ? ¿ del caballerito ? 8. ¿ Vivían en la misma ciudad ? 9. ¿ Cuál de ellos tenía el álbum de sellos ? 10. ¿ Qué contestó Currín al recibir el sello de la república de Liberia ? 11. ¿ Dónde está Liberia ? 12. ¿ Qué le dijo Currín a Finita ? 13. ¿ Sabía la criada que eran novios ? 14. ¿ Por qué no quería Finita quedarse en Ávila ? 15. ¿ A dónde quería ir ella ? 16. ¿ Empeñaron sus relojes ? 17. ¿ A

qué hotel se dirigieron? 18. ¿ Quién los halló allí?
19. ¿ Se casaron al fin? 20. ¿ Quiénes se casaron?

LAS DOS GLORIAS

I. *Match the words of 1st column with those of 2nd;
those of 3rd with those of 4th:*

<table>
<tr><td colspan="2">WORDS RELATED IN
MEANING</td><td colspan="2">WORDS OPPOSITE IN
MEANING</td></tr>
<tr><td>amar</td><td>amor</td><td>comprar</td><td>borrar</td></tr>
<tr><td>bello</td><td>cuadro</td><td>conocido</td><td>desconocido</td></tr>
<tr><td>cariño</td><td>hermoso</td><td>escribir</td><td>discípulo</td></tr>
<tr><td>conocer</td><td>muerta</td><td>joven</td><td>inmortal</td></tr>
<tr><td>contestar</td><td>mundo</td><td>juventud</td><td>mentira</td></tr>
<tr><td>difunta</td><td>pobre</td><td>maestro</td><td>primero</td></tr>
<tr><td>humilde</td><td>querer</td><td>mortal</td><td>recordar</td></tr>
<tr><td>iglesia</td><td>responder</td><td>olvidar</td><td>vejez</td></tr>
<tr><td>pintura</td><td>saber</td><td>último</td><td>viejo</td></tr>
<tr><td>universo</td><td>templo</td><td>verdad</td><td>vender</td></tr>
</table>

II. *Finish the incomplete statements in accordance with
the text:*

1. Rubens encontró un ——— en una iglesia humilde.
2. En el fondo del cuadro ——— pintado otro cuadro.
3. El pintor ——— a ninguna escuela de pintura. 4. El
entrar en ciertas órdenes religiosas es ———. 5. La mujer
que se veía en el fondo del cuadro era ———. 6. ———
dijo que el autor del cuadro no estaba ya en el mundo.
7. El religioso había ——— y ——— al autor del cuadro.
8. Rubens se acercó al ataúd para ———. 9. Los
desengaños del mundo llevaron al pintor al ——— de las
cosas humanas. 10. El padre se parecía mucho al———.

40

III. *Answer in brief Spanish phrases the following factual questions:*

1. ¿ Quién pintó el magnífico cuadro? 2. ¿ Sabían los otros religiosos quien era el autor de la maravillosa pintura? 3. ¿ Quién era la difunta que se veía en el fondo del cuadro? 4. ¿ Por qué camino buscaba la inmortalidad el autor del cuadro? 5. ¿ Por qué no quiso el padre superior decir el nombre del autor? 6. ¿ A quién se parecía el joven que se moría en el cuadro? 7. ¿ Cuántos cuadros había pintado este autor desconocido? 8. ¿ Se llevó Rubens el cuadro? 9. ¿ Conocía bien Rubens al rey? 10. ¿ Quién regresó con Rubens tres días después? 11. ¿ Dónde estaba el cuadro? 12. ¿ Quién había muerto?

LA CAMISA DEL HOMBRE FELIZ

I. *Use the following phrases in simple Spanish sentences:*

1. en los tiempos de Mari-Castaña. 2. poner en práctica. 3. los hijos de la blanca Albión. 4. dar un grito. 5. meterse en una cueva.

II. *Use the following words in telling something about yourself:*

EXAMPLE: ser ... gordo: No soy muy gordo.

1. leer ... cuento ... escuela. 2. espantar ... moscas ... abanico. 3. cantar ... son ... música extraña. 4. hacer ... surcos ... campo. 5. empeorar ... estudios ... días. 6. estar ... puertas ... muerte. 7. llevar ... paraguas ... sombrero. 8. dormir ... boca arriba. 9. tener ... cabeza vacía.

IDIOMS USED IN THE TEXT

(Listed in order of occurrence)

poniéndose de rodillas, kneeling
se puso de pie, stood up
se echó a reír, burst out laughing
no hay remedio, it can't be helped
caerse de espaldas, to fall on one's back
soy de los tuyos, I am one of you
en seguida, immediately
en un abrir y cerrar de ojos, in the twinkling of an eye
montó a caballo, got on his horse
de vez en cuando, from time to time, occasionally
a eso de las seis, about six o'clock
voy de vuelta, I am on my way back
quiere decir, means
volvió pies atrás, retraced his steps
había dado en la cuerda, had struck the rope
decía a los suyos, was saying to his men
se pusieron a hacer, began to make
se ha quedado con, has kept
cuando se trata de, when it is a question of
¡ a la formación ! fall in line!
pasar lista, to call the roll
al pie de la letra, literally, to the letter
se puso colorado, blushed
de buena gana, willingly
echó a correr escalera abajo, rushed headlong downstairs
a solas, all alone
un hombre de bien, an honest man
el tren se puso en marcha, the train started
se pide prestado, one borrows
echando chispas, raving (spitting fire)
no sé qué será de nosotros, I do not know what will become
   of us
se hizo en toda regla, was made in due form
lo bien conservada que estaba, how well preserved she was
por supuesto, of course
sin hacerle caso, without paying any attention to him
nada tiene que ver con, has nothing to do with
a lo largo de, the length of
en cambio, on the other hand
es lo cierto que, the fact is that
de día en día, from day to day
boca arriba, face up
boca abajo, face downward

Aventuras de Gil Blas

Retold and Edited

By

CARLOS CASTILLO
The University of Chicago

AND

COLLEY F. SPARKMAN
Belhaven College

Adding 236 new words and 42 new idioms to
the 912 words and 116 idioms used in Books I–III
Total: 1148 words and 158 idioms used in Books I–IV

BOOK FOUR

D. C. HEATH AND COMPANY
BOSTON

TO THE TEACHER

Aventuras de Gil Blas, the fourth book of our series of graded Spanish readers, is a narrative following rather closely Padre Isla's *Historia de Gil Blas de Santillana.*

That a picaresque novel by the Frenchman Alain-René Lesage is the original of Isla's version is no longer controversial matter; but it is perhaps well to recall that at least one fifth of Lesage's book is taken bodily from the *Vida del escudero Marcos de Obregón* by Vicente Espinel, and that he borrowed copiously from other Spanish picaresque novels. Characters, situations, environment, are all Spanish.

The following vocabulary analysis shows the distribution frequency of both new and old root-words ranked according to the Buchanan List:

RANK	NUMBER OF NEW WORDS	NUMBER OF OLD WORDS	TOTAL
From the Approximate 250 Common Words			
Eliminated by Buchanan	3	116	119
From the 1st 500	51	201	252
" " 2d 500	50	68	118
" " 3d 500	44	27	71
" " 4th 500	27	13	40
" " 5th 500	17	9	26
" " 6th 500	8	7	15
" " 7th 500	12	0	12
" " 8th 500	8	3	11
" " 9th 500	1	0	1
" " 10th 500	4	1	5
" " 11th 500	2	0	2
" " 12th 500	1	0	1
" " 13th 500	1	1	2
Not in the Buchanan List	7	0	7
Total	236	446	682

TO THE STUDENT

If you have read the preceding three books of this series, you will be able to read these *Aventuras* with little difficulty. You have, no doubt, learned from experience that inference is a helpful factor in reading a foreign language. Do not be too dependent on the end-vocabulary. Learn to infer and even to guess. Do not keep one finger in the text and another in the end-vocabulary. When you find a *new* word, try to get its meaning from the context before glancing at the footnote. When you find a new idiom, consider also the meaning of each separate word. This will help you to realize the wide divergence between English and Spanish modes of expression. Certain words very similar in appearance to English have been marked with an asterisk, because we know that you can surmise their meaning very readily. Most of these words are true cognates. Certain words similar in appearance to English, but whose meaning is different, are not true cognates. These are never marked with an asterisk. You must look up their meaning. These false cognates are very deceiving. For example: *honesto* may not mean *honest*, but *modest; honestidad* not *honesty*, but *modesty*. All doubtful cognates are listed in the vocabulary, and there you can confirm your " guess," for you have developed by now a flair for meaning.

THE AUTHORS

AVENTURAS DE GIL BLAS

I. NACIMIENTO[1] DE GIL BLAS
Y SU EDUCACIÓN*

Blas de Santillana, mi padre, después de haber servido muchos años en los ejércitos[2] de España, se volvió al pueblo donde había nacido. Allí se casó con una aldeana,[3] y yo nací al mundo diez meses después que se habían casado.   5

De Santillana pasaron mis padres a vivir a Oviedo donde ambos encontraron trabajo. En Oviedo vivía un hermano mayor de mi madre, llamado Gil Pérez, el cual era sacerdote.[4] Éste me llevó a su casa cuando yo era niño, y me enseñó a leer; y más tarde 10 me envió a la escuela del doctor Godínez para estudiar la lengua[5] latina* con este maestro que pasaba por el pedante* más hábil[6] que había en Oviedo.

Aprendí tanto en esta escuela, que al cabo de cinco o seis años entendía un poco los autores grie- 15 gos,[7] y bastante bien los autores latinos.* Estudié, además, la lógica,* que me enseñó a pensar y argumentar* sin término.[8] Me gustaban mucho las disputas,* y detenía[9] a los que encontraba por la

---

[1] **nacimiento,** birth.   [2] **ejército,** army.   [3] **se casó con una aldeana,** married a small-town girl.   [4] **sacerdote,** priest.   [5] **lengua,** language, tongue.   [6] **el pedante más hábil,** the most able schoolmaster.   [7] **griego,** Greek.   [8] **sin término,** endlessly.   [9] **detener,** to stop, halt.

1

calle, conocidos o desconocidos, para proponerles cuestiones[1] y argumentos.*

De esta manera* me hice famoso* en toda la ciudad, y mi tío[2] estaba muy orgulloso[3] de mí. Un día me dijo:

— Gil Blas, ya no[4] eres niño; tienes diecisiete años, y Dios te ha dado habilidad.* Voy a enviarte a la universidad* de Salamanca, donde con tu clara* inteligencia* llegarás a ser[5] un hombre de importancia.* Para tu viaje te daré dinero y una buena mula* que podrás vender en Salamanca.

Mi tío no podía proponerme cosa más de mi gusto, porque yo tenía ganas de ver el mundo; pero no mostré mi gran alegría. Al contrario,* cuando llegó la hora de partir, puse una cara tan triste que mi tío me dió más dinero del que me habría dado si hubiese mostrado alegría.

Antes de montar en mi mula fuí a dar un abrazo a mi padre y a mi madre, los cuales me dieron no pocos consejos.[6] Me repitieron* muchas veces que viviese cristianamente,[7] y sobre todo que no tomase jamás lo ajeno[8] contra[9] la voluntad[10] de su dueño, y que no engañase a nadie. Después de haberme hablado largamente, me dieron la única cosa que podía esperar de ellos: su bendición.[11] Inmediatamente* monté en mi mula y salí de la ciudad.

[1] **cuestión,** question (*problem*). [2] **tío,** uncle. [3] **orgulloso,** proud. [4] **ya no,** no longer. [5] **llegarás a ser,** you will become. [6] **consejo,** piece of advice; **consejos,** advice. [7] **cristianamente,** like a Christian. [8] **lo ajeno,** what belongs to another. [9] **contra,** against. [10] **voluntad,** will. [11] **bendición,** blessing.

2

II. PRIMERA AVENTURA DE GIL BLAS

Aquí me tienes, lector,[1] ya fuera de Oviedo, camino de Peñaflor, en medio de los campos, dueño de mi persona,* de una mala mula, y de cuarenta ducados[2] que me había dado mi buen tío.

La primera cosa que hice fué dejar a mi mula 5 andar a su gusto. Saqué[3] mis ducados y comencé a contarlos dentro del sombrero. ¡Qué alegría! Jamás me había visto con tanto dinero; lo veía, lo tocaba, y volvía a tocarlo.[4]

Estaba contando una vez más mi dinero cuando 10 la mula se paró asustada en medio del camino. Levanté los ojos y vi en medio del camino un sombrero, y al mismo tiempo oí una voz triste que decía estas palabras:

— Señor, tenga usted piedad[5] de un pobre soldado, 15 y tenga la bondad[6] de echar algunas monedas de plata[7] en ese sombrero; Dios se lo pagará en el otro mundo.

Volví los ojos hacia donde venía la voz, y vi, a veinte o treinta pasos de mí, una especie de soldado, 20 que sobre dos palos cruzados[8] tenía una escopeta más larga que una lanza,[9] con la cual me apuntaba a la cabeza.[10] Comencé a temblar de miedo. Cogí

---

[1] **lector,** reader (*person*). [2] **ducado,** ducat (*a gold coin worth about a dollar*). [3] **sacar: saqué,** I took out. [4] **volvía a tocarlo,** I would touch it again (*kept touching it*). [5] **piedad,** pity. [6] **tenga la bondad,** have the kindness (*please*). [7] **plata,** silver. [8] **palos cruzados,** crossed sticks. [9] **lanza,** lance. [10] **me apuntaba a la cabeza,** was pointing at my head.

3

mi dinero, lo metí en mi bolsillo, y quedándome en
las manos con[1] algunas monedas de plata, las eché
poco a poco, una a una, en el sombrero, para mostrar
mi generosidad* a aquel soldado. Éste quedó
5 satisfecho,[2] y me dió tantas gracias como yo di golpes
a mi mula para hacerla correr, pero el maldito
animal, burlándose de mi impaciencia,* caminaba
paso a paso.[3] La vieja costumbre de caminar
despacio bajo el peso[4] de mi tío, la había hecho
10 olvidarse[5] de lo que era el galope.*

Esta aventura me pareció un mal principio[6] para
un viaje tan largo. Podían sucederme otras peores
antes de llegar a Salamanca; pero llegué felizmente
a Peñaflor, y allí decidí* vender mi mula.

III. GIL BLAS EN PEÑAFLOR

15 Me paré a la puerta de una posada[7] que tenía
bella apariencia.* Apenas eché pie a tierra[8] cuando
el dueño de la posada salió a recibirme con mucha
cortesía,* y él mismo me llevó a un cuarto mientras
sus criados llevaban la mula a la caballeriza.[9]
20 El dueño de la posada era el mayor hablador[10]
de Asturias. Me dijo que se llamaba Andrés Corzuelo, que había servido al rey en el ejército, y que

---

[1] **quedándome ... con,** keeping (*retaining*).   [2] **satisfecho,**
satisfied.   [3] **caminaba paso a paso,** traveled at a snail's pace
(*step by step*).   [4] **peso,** weight.   [5] **la había hecho olvidarse,**
had made it forget.   [6] **principio,** beginning.   [7] **posada,** inn.
[8] **apenas eché pie a tierra,** I had barely set foot on ground.
[9] **caballeriza,** stable.   [10] **hablador,** talker.

4

se había casado con una muchacha de Castropol bastante bella, aunque demasiado morena; y después de contarme una infinidad* de cosas inútiles,[1] me preguntó quién era yo, de dónde venía, y a dónde caminaba. A cada pregunta me hacía una 5 profunda reverencia rogándome muy respetuosamente[2] que le perdonase su curiosidad.*

Yo me vi obligado[3] a contestar punto por punto a todas sus preguntas. Le hablé del motivo* de mi viaje y del deseo que tenía de deshacerme de[4] 10 mi mula y seguir mi viaje con algún arriero.[5]

Andrés Corzuelo me lo aprobó[6] todo, representándome* todos los accidentes* que me podían suceder y relatándome* mil historias.* Pensé que nunca acabaría, pero al fin acabó diciéndome que 15 él conocía a un hombre de bien quien acaso compraría la mula. Yo le respondí que tendría mucho gusto en conocerle,[7] y él mismo en persona salió a buscarle.

No tardó en[8] volver acompañado* de un hombre a quien me presentó* como el más honrado[9] del 20 mundo. Entramos en la caballeriza donde estaba mi mula. La pasearon[10] repetidas* veces delante de aquel hombre, quien con mucha atención* la examinó* de pies a cabeza. Habló muy mal de ella, hallándole cuantos defectos* puede tener un animal, 25

---

[1] **infinidad de cosas inútiles,** countless useless things. [2] **respetuosamente,** respectfully. [3] **me vi obligado,** I was obliged. [4] **deshacerme de,** to get rid of. [5] **arriero,** muleteer, mule driver. [6] **aprobar,** to approve. [7] **tendría mucho gusto en conocerle,** should be glad to meet him. [8] **no tardó en,** was not long in. [9] **honrado,** honest, honorable. [10] **la pasearon,** they made it walk (*paraded it*).

5

mirando de vez en cuando a Andrés Corzuelo, quien
aprobaba cuanto decía.

— ¿ Cuánto pide usted por su mula ? — me preguntó fríamente.

5   Yo, que la hubiera dado de balde[1] después de oír
la lista* de todos sus defectos y ver la aprobación*
del señor Corzuelo, quien me parecía hombre honrado, inteligente y sincero,* le respondí:

— Como hombre de bien, usted me dará lo que
10 valga[2] la mula.

Él me contestó:

— Soy hombre de mucha conciencia,* y me ha
tocado usted en mi lado flaco.[3]

Y en verdad no era su lado fuerte, porque en vez
15 de los diez o doce ducados que, según mi tío, valía
la mula, no tuvo vergüenza en[4] darme sólo tres
ducados, que yo recibí tan alegre como si hubiese
ganado mucho en aquel trato.[5]

Después de haberme deshecho de[6] mi mula, Andrés
20 Corzuelo me llevó a casa de un arriero que el día
siguiente había de partir[7] para Astorga. El arriero
me dijo que pensaba salir[8] muy temprano, y que él
tendría cuidado de[9] despertarme. Quedamos de
acuerdo[10] en lo que yo le había de pagar por comida

---

[1] de balde, gratis, free of charge.   [2] valer: lo que valga,
what . . . might be worth.   [3] me ha tocado usted en mi lado
flaco, you have touched me in my weak point (*weak side*).
[4] vergüenza, shame; no tuvo vergüenza en, was not ashamed
to.   [5] trato, deal, trade.   [6] deshacer: deshecho (de), got rid
(of).   [7] había de partir, was to depart.   [8] pensaba salir, intended to leave.   [9] tendría cuidado de, would attend to.
[10] quedamos de acuerdo, we agreed.

y mula, y me volví a la posada en compañía* de
Corzuelo, el cual comenzó a contarme por el camino
toda la historia del arriero y cuanto de él se decía[1]
en el pueblo; pero gracias a Dios que le interrumpió
un hombre de buen aspecto,* quien se acercó a él 5
y le saludó con mucha cortesía. Yo los dejé hablando y seguí mi camino sin pensar que yo pudiese
tener parte* alguna en su conversación.*

Luego que llegué a la posada pedí de cenar.[2] Era
viernes[3] y por eso pedí una tortilla de huevos.[4] 10
Mientras la preparaban* me puse a conversar* con
la mujer de Andrés Corzuelo, quien me pareció
bastante linda.[5] Cuando me dijeron que la tortilla
estaba lista,[6] me senté a la mesa solo.

IV. GIL BLAS, LA OCTAVA MARAVILLA
DEL MUNDO

No bien[7] había comido el primer bocado,[8] entró 15
Corzuelo en compañía de aquel hombre con quien
se había parado a hablar en el camino. El tal[9]
caballero, que podía tener[10] treinta años, traía
al lado una espada.[11] Acercándose a mí con cierto
aire alegre y risueño[12] me dijo: 20

— Señor mío,[13] acabo de saber que usted es el

---

[1] **cuanto de él se decía,** all that was said about him. [2] **pedí
de cenar,** I ordered supper. [3] **viernes,** Friday. [4] **tortilla de
huevos,** (egg) omelette. [5] **lindo,** pretty, attractive. [6] **listo,**
ready. [7] **no bien,** no sooner . . . than. [8] **bocado,** mouthful.
[9] **el tal,** the said. [10] **que podía tener,** who looked to be. [11] **espada,** sword. [12] **risueño,** smiling. [13] **señor mío,** my dear sir.

señor Gil Blas de Santillana, la honra[1] de Oviedo.
¿ Es posible que sea usted aquel sabio,[2] aquel
ilustre* joven cuya fama* es tan grande en todo este
país ?

5 Luego, dirigiéndose a Andrés Corzuelo y su linda
mujer:

— Vosotros no sabéis qué hombre tenéis en casa.
Tenéis en ella una maravilla. En este caballero
estáis viendo[3] la octava maravilla del mundo.

10 Volviéndose después a mí, y abrazándome, continuó*:

— Excuse* usted mis entusiasmos. No soy dueño
de mí mismo ni puedo contener[4] la alegría que me
causa* su presencia.*

15 No pude responderle de pronto,[5] porque me tenía
abrazado tan fuertemente que apenas podía yo
respirar, pero luego que pude hablar le dije:

— Nunca creí que mi nombre fuese conocido en
Peñaflor.

20 — ¿ Qué llama usted conocido ? Nosotros tenemos un libro en que se encuentran las señas de todos
los grandes personajes que nacen en esta región.
Usted tiene fama de ser un prodigio,* y no dudo que
algún día dará a España tanta gloria* como los siete
25 sabios dieron a Grecia.[6]

A estas palabras siguió un nuevo abrazo más fuerte
aún que el primero. Mis pocos años y mi vanidad*

---

[1] **honra,** honor. [2] **sabio,** scholar, sage. [3] **estáis viendo,**
you are looking at. [4] **contener,** to restrain. [5] **de pronto,**
right away. [6] **Grecia,** Greece.

8

me hicieron creer sus alabanzas.[1]   Me pareció un hombre de bien y muy sincero, y le convidé[2] a cenar conmigo.

— Con mucho gusto — me contestó prontamente. Doy gracias a mi buena estrella[3] por haberme dado 5 a conocer al ilustre señor Gil Blas, y no quiero perder la ocasión* de estar en su compañía lo más que me sea posible.   A la verdad[4] no tengo gran apetito,* y me sentaré a la mesa sólo por hacerle compañía,[5] y comeré algunos bocados para mostrarle cuánto 10 aprecio[6] el honor.

Se sentó, pues, enfrente* de mí.   Le trajeron un cubierto[7] y se arrojó a la tortilla[8] con tanta prisa como si hubiera estado tres días sin comer.   Yo, viendo que se la comía toda, mandé hacer otra.   La 15 trajeron, la pusieron en la mesa cuando acabábamos (mejor dicho, cuando él acababa) de comer la primera.   El hombre se arrojó a la segunda tortilla, y entre bocado y bocado[9] hacía alabanzas de mi persona, las cuales me sonaban muy bien.   Bebía 20 repetidas veces a mi salud, a la salud de mi padre y a la de mi madre, celebrando[10] su fortuna* en ser padres de tal hijo.   Al mismo tiempo echaba vino en mi vaso y yo también bebía muy contento.*

---

[1] alabanza, praise.   [2] convidar, to invite.   [3] estrella, star; doy gracias a mi buena estrella por haberme dado a conocer, I thank my lucky star for having made known to me. [4] a la verdad, in truth, really.   [5] por hacerle compañía, to keep you company.   [6] apreciar, esteem.   [7] cubierto, cover (*table service*).   [8] se arrojó a la tortilla, pounced upon the omelette.   [9] entre bocado y bocado, between mouthfuls.   [10] celebrar, to rejoice at.

9

Me sentía de tan buen humor, que viendo desaparecer la segunda tortilla, pregunté a Corzuelo si
tenía algún pescado,[1] y él me contestó:

— Tengo una excelente* trucha,[2] pero costará
5 cara[3] a los que la coman, y es bocado demasiado
delicado* para usted.

— ¿ Qué llama usted *demasiado delicado ?* — contestó mi compañero. — Traiga usted la trucha.
Ningún bocado es demasiado delicado para el señor
10 Gil Blas de Santillana, la honra de Oviedo, la octava
maravilla del mundo. Merece[4] ser tratado como un
rey.

Me gustó mucho aquella contestación,[5] y dije,
enojado,[6] a Corzuelo:

15 — Venga[7] la trucha, y otra vez piense más en lo
que dice.

Corzuelo, que no deseaba otra cosa, hizo cocer
la trucha,[8] y al poco rato la puso en la mesa. A
vista[9] del nuevo plato* brillaron de alegría los ojos
20 de mi compañero, quien se arrojó a la trucha del
mismo modo que se había arrojado a las tortillas.
En fin, después de haber comido y bebido hasta más
no poder,[10] se levantó de la mesa y me habló de esta
manera:

25 — Señor Gil Blas de Santillana, estoy tan contento

---

[1] **pescado,** fish (*when caught*). [2] **trucha,** trout. [3] **costará
cara,** will be expensive (*will cost dear*). [4] **merecer,** to deserve, merit. [5] **contestación,** answer. [6] **enojado,** angry.
[7] **venir: venga,** let's have (*let come*). [8] **hizo cocer la trucha,** had the trout cooked. [9] **a vista de,** at the sight of.
[10] **hasta más no poder,** to the utmost, to the limit.

de lo bien que usted me ha tratado, que no puedo irme
sin darle un importante* consejo. Desconfíe[1] de
todo hombre a quien no conozca, y no se deje engañar de las alabanzas. Podrá usted encontrarse
con otros como yo, que quieran divertirse a costa* 5
de su credulidad,* y puede suceder que las cosas
pasen más adelante.[2] No sea usted ridículo* ni crea
que es la octava maravilla del mundo.

Diciendo esto y riéndose de mí, me volvió la
espalda[3] y se fué. Yo sentí esta burla tanto como 10
cualquiera de las mayores desgracias[4] que me suce-
dieron después.

— ¿ Es posible — me decía yo — que ese hombre
se haya burlado de mí ?[5] ¡ Ah, pobre Gil Blas !
¡ Tus padres te dijeron que no engañases a nadie ! 15
¿ Por qué no te dijeron que no te dejases engañar ?[6]

Entré en mi cuarto y me metí en la cama, pero no
pude dormir en toda la noche. El arriero vino muy
temprano a despertarme. Me levanté prontamente,
y mientras estaba vistiéndome, vino Andrés Corzuelo 20
con la cuenta,[7] en la cual no se olvidaba de la trucha;
y no solamente tuve que pagar por todo, sino que
también tuve el dolor de ver que Corzuelo sonreía
aún recordando la burla de la noche anterior.

---

[1] desconfiar, to distrust. [2] que las cosas pasen más
adelante, that matters will go farther. [3] me volvió la espalda, turned his back on me. [4] desgracia, misfortune. [5] se
haya burlado de mí, has been making fun of me. [6] que no te
dejases engañar, not to let yourself be deceived. [7] cuenta,
bill, check (*for a meal eaten*).

11

V. GIL BLAS HUYE DEL TORMENTO[1]

No era yo solo el que había de caminar con el arriero. Iban también un muchacho de Mondoñedo, un caballero de Astorga, y una joven del Vierzo con quien éste acababa de casarse.[2] En muy
5 poco tiempo nos hicimos amigos,[3] y cada uno contó a dónde iba y de dónde venía. Aunque la novia estaba en lo mejor de su edad,[4] era tan morena y de tan poca gracia,[5] que no me daba gusto el mirarla.

Llegamos por la tarde a Cacabelos y paramos en
10 una posada que está a la entrada[6] del lugar. Nos condujeron[7] a un cuarto interior donde nos dieron de cenar[8] muy tranquilamente*; pero al fin de la cena vimos entrar al arriero, furioso* como un demonio,[9] echando chispas por los ojos,[10] y gritando:
15 — ¡ Por vida de quien soy ![11] Me han robado todo mi dinero. Ahora mismo voy a ver al juez[12] para que dé tormento a todos hasta que se descubra[13] el ladrón.

Diciendo esto, se salió muy enojado del cuarto,
20 dejándonos muy asombrados; pero a nadie le ocurrió* que aquello podía ser una ficción.* Por el contrario, yo sospeché[14] que el ladrón era el mucha-

---

[1] **tormento,** torture. [2] **acababa de casarse,** had just married.
[3] **nos hicimos amigos,** we became friends. [4] **en lo mejor de su
edad,** in the prime of life. [5] **gracia,** charm. [6] **entrada,** entrance. [7] **conducir: condujeron,** took, led. [8] **nos dieron de
cenar,** they gave us supper. [9] **demonio,** demon, devil.
[10] **echando chispas por los ojos,** his eyes sparkling with fury.
[11] **¡ Por vida de quien soy !** Upon my very soul ! [12] **juez,**
judge. [13] **descubrir,** to reveal. [14] **sospechar,** to suspect.

cho de Mondoñedo; y él sospechó lo mismo de mí.
Todos éramos unos pobres simples[1] que no sabíamos
las formalidades* que preceden* en semejantes casos
a la prueba[2] del tormento, y no dudamos que el
juez nos daría tormento para sacarnos la verdad.[3] **5**

Poseídos[4] del miedo nos escapamos[5] a toda prisa,
y yo me encontré solo en el campo, donde seguí
huyendo hasta llegar a[6] un bosque. Iba a entrar en
él para esconderme[7] allí cuando de repente vi dos
hombres a caballo que se pararon delante de mí. **10**

— ¿ Quién va allí ? — gritaron.

Y como el miedo y la sorpresa no me dejaban
hablar ni moverme, acercándose ellos más, cada uno
me puso al pecho una pistola,* mandándome al
mismo tiempo que les dijese quién era, de dónde **15**
venía, y qué iba yo a hacer en aquel bosque.

Yo respondí humildemente que era un pobre
estudiante de Oviedo, que iba a continuar mis estudios* en Salamanca. Les conté lo que nos acababa
de suceder, confesando* sencillamente que el miedo **20**
del tormento me había hecho huir. Dieron una gran
carcajada,[8] y uno de ellos me dijo:

— No tengas miedo, querido; vente[9] con nosotros, y no temas; te esconderemos. Diciendo esto,

---

[1] **unos pobres simples,** poor simpletons.   [2] **prueba,** test,
trial.   [3] **para sacarnos la verdad,** to get the truth out of us.
[4] **poseídos de,** driven by (*possessed with*).   [5] **escaparse,** to
escape, run away.   [6] **seguí huyendo hasta llegar a,** I kept
on fleeing until I arrived at.   [7] **esconderse,** to hide (*oneself*).
[8] **carcajada,** guffaw;   **dieron una gran carcajada,** burst out
laughing.   [9] **venir: vente,** come along.

13

me hizo montar en su caballo, y nos metimos en el bosque.

No sabía yo qué pensar de tal encuentro[1]; pero no me parecía cosa mala.

5 — Si estos hombres fuesen ladrones — me decía yo a mí mismo — ya me habrían robado, y acaso asesinado* también. Serán unos[2] buenos caballeros de esta tierra, que, viendo mi temor,[3] han tenido lástima de mí,[4] y me llevan a su casa.

10 No me duró[5] mucho la duda. Después de algunas vueltas, con grandísimo silencio,* llegamos al pie de una colina.[6]

— Aquí hemos de dormir[7] — dijo uno de los caballeros.

15 Yo volvía los ojos a todas partes, pero no veía ni casa, ni cabaña,[8] ni la más pequeña señal de habitación. De repente vi que aquellos dos hombres levantaron una gran trampa de madera,[9] cubierta de tierra y hierba, que ocultaba[10] una entrada sub-
20 terránea* por donde los caballos bajaron por sí solos. Los caballeros me hicieron entrar con ellos, y dejaron caer la trampa.

---

[1] **encuentro,** meeting, encounter.   [2] **serán unos,** they are probably some.   [3] **temor,** fear.   [4] **han tenido lástima de mí,** have taken pity on me.   [5] **durar,** to last.   [6] **colina,** hill, elevation.   [7] **aquí hemos de dormir,** we are to sleep here.   [8] **cabaña,** cabin, hut.   [9] **trampa de madera,** wooden trap-door.   [10] **ocultar,** to hide, conceal.

14

VI. LO QUE GIL BLAS VIÓ EN LA CUEVA

Entonces comprendí entre qué especie de gente me hallaba, y comencé a temblar de pies a cabeza, porque estaba seguro de que iba a perder la vida y mis pobres ducados; y mirándome como una víctima* conducida al sacrificio,* caminaba más muerto 5 que vivo.

Habíamos andado unos doscientos (200) pasos, siempre bajando y dando vueltas, cuando entramos en una especie de caballeriza. Había en ella abundantes* provisiones* y sitio para unos veinte caba- 10 llos. Vino a atarlos un negro muy viejo, pero muy fuerte. Salimos de la caballeriza, y a la triste luz de una linterna[1] pude ver el horror de aquella cueva.

Por fin llegamos a la cocina[2] donde una vieja estaba preparando la cena. No faltaba nada[3] en 15 aquella cocina. La cocinera[4] era una mujer horrible, de unos sesenta (60) años, acaso más, sus cabellos, sin duda, habían sido rubios[5]; tenía la cara amarilla y flaca, los labios secos,[6] los ojos rojos, la nariz[7] tan larga que casi tocaba la boca con la punta.[8]   20

— Señora Leonarda — dijo uno de los caballeros, presentándome a aquel bello ángel de la muerte — aquí le traemos a este chico.

Y volviéndose después a mí, y viéndome temblar, me dijo: 25

---

[1] **linterna,** lantern. [2] **cocina,** kitchen. [3] **no faltaba nada,** nothing was lacking. [4] **cocinera,** cook (*female*). [5] **rubio,** blond, fair. [6] **seco,** dry, thin. [7] **nariz,** nose. [8] **punta,** point, tip.

— ¡ Querido, no tengas miedo, pues no queremos hacerte mal; sólo deseamos que ayudes a nuestra cocinera; te encontramos, y esa ha sido tu fortuna. Ocuparás* el sitio de un muchacho que murió hace 5 quince días, porque era muy delicado. Me parece que tú eres algo más fuerte, y no morirás tan pronto. A la verdad no volverás a ver el sol,[1] pero en cambio, comerás bien y tendrás una cama cómoda. Pasarás la vida con la señora Leonarda, quien es una cria-10 tura[2] muy amable* y humana.* Tendrás todo cuanto necesites, y ya verás que no has venido a vivir entre gente miserable.

Tomó una luz y me mandó que le siguiese. Me llevó a una bodega[3] donde vi una infinidad de 15 botellas* llenas de vinos exquisitos.* Me hizo pasar después por muchos cuartos, unos llenos de ropa[4] fina,* otros llenos de joyas[5] y mil objetos* de oro y plata. Le seguí después a una sala[6] grande, bien alumbrada,[7] y allí me hizo varias preguntas. Entre 20 otras cosas me preguntó mi nombre, mi edad, por qué había salido de Oviedo, y quiénes eran mis padres. Luego que hube satisfecho su curiosidad, me dijo:

— Bueno, Gil Blas, puesto que[8] sólo saliste de tu 25 casa para buscar una buena colocación,[9] parece que tienes muy buena suerte,[10] porque vas a vivir con

---

[1] **no volverás a ver el sol,** you will not see the sun again.
[2] **criatura,** creature. [3] **bodega,** cellar, storeroom. [4] **ropa,** clothing, garments. [5] **joyas,** jewels. [6] **sala,** hall, reception room. [7] **alumbrado,** lighted. [8] **puesto que,** since. [9] **colocación,** position, employment. [10] **suerte,** luck, fortune.

16

nosotros. Ya te lo he dicho; aquí vivirás en la abundancia*; nadarás en oro[1] y plata, y estarás muy contento. Sólo nosotros conocemos la entrada de esta cueva. Sin duda tú me preguntarás cómo hemos podido construir este enorme* subterráneo 5 sin que lo supiese la gente[2]; pero no ha sido obra nuestra, sino de muchos siglos.[3] Después que los moros[4] tomaron a Granada, Aragón, y casi toda España, los cristianos* que no quisieron vivir bajo su gobierno,[5] huyeron y se escondieron en este país, 10 en Vizcaya y Asturias. Los fugitivos* vivían en los bosques y en las montañas,[6] unos escondidos en cuevas naturales, y otros en subterráneos que ellos mismos construyeron, y éste es uno de tantos. Después que los cristianos arrojaron de España a 15 sus enemigos, se volvieron a sus ciudades y sus pueblos, y desde entonces estos subterráneos sirven de refugio* a los hombres de nuestra profesión.* Yo, gracias al cielo, hace quince años que vivo en éste sin haber sido descubierto. Soy el capitán 20 Rolando, el jefe[7] de la compañía, y el otro que viste conmigo es uno de mis compañeros.

[1] **nadar,** to swim; **nadarás en oro,** you will wade in gold.
[2] **sin que lo supiese la gente,** without people's knowing it.
[3] **siglo,** century. [4] **moro,** Moor. [5] **gobierno,** government.
[6] **montaña,** mountain. [7] **jefe,** chief, leader.

VII. LLEGAN OTROS LADRONES
AL SUBTERRÁNEO

No bien había dicho estas palabras el capitán,*
cuando aparecieron[1] en la sala seis caras nuevas.
Eran su teniente[2] y otros cinco de la compañía.
Traían dos grandes bolsas[3] llenas de diversos ob-
5 jetos.* El teniente, dirigiéndose al capitán, le dijo
que le habían robado a un arriero de Benavente
aquellas bolsas y también la mula en que las llevaba.
El teniente dió cuenta de[4] su expedición,* y el
capitán mandó poner la mesa[5] en la sala. A mí me
10 enviaron a la cocina para que la tía[6] Leonarda me
dijese lo que debía hacer.

Puse en la mesa la sopa,[7] a cuya vista todos
ocuparon sus asientos. Los ladrones comenzaron a
comer con mucho apetito, y yo estaba de pie para
15 servirles el vino. El capitán les contó en pocas
palabras mi historia de Cacabelos, con la cual se
divirtieron mucho y dieron grandes carcajadas. Les
dijo que yo era un muchacho inteligente y de muchas
habilidades[8]; pero yo, acordándome de la burla de
20 Peñaflor, oí aquellas alabanzas sin creerlas. Todos
estaban de acuerdo[9] en que yo valía mil veces más
que mi predecesor.*

[1] **no bien había dicho estas palabras el capitán, cuando
aparecieron,** no sooner had the captain said these words than
there appeared. [2] **teniente,** lieutenant. [3] **bolsa,** bag. [4] **dió
cuenta de,** gave a report of. [5] **poner la mesa,** to set the table.
[6] **tía,** aunt. [7] **sopa,** soup. [8] **habilidades,** accomplishments.
[9] **todos estaban de acuerdo,** all were agreed.

Después de la sopa puse en la mesa un gran plato de carne. Los ladrones comieron y bebieron muchísimo, se pusieron de muy buen humor, y comenzaron a hacer mucho ruido. Hablaban todos al mismo tiempo. Uno comenzaba una historia,[1] otro le 5 interrumpía con un chiste[2]; uno cantaba, otro gritaba, otro daba una gran carcajada. El capitán Rolando, un poco enojado, levantó la voz y todos callaron.[3]

— Señores, — les dijo — atención a lo que voy a 10 proponer. En vez de[4] hablar todos al mismo tiempo, ¿ no sería mejor divertirnos como personas de juicio ?[5] Desde que vivimos juntos nunca hemos tenido la curiosidad de informarnos unos a otros[6] de qué familia o casa somos, ni de la serie* de aven- 15 turas por donde vinimos a abrazar esta profesión. Me parece que cada cual debe contar la historia de su vida para diversión* y provecho[7] de los demás.

El teniente y los demás aceptaron* con gran- des demostraciones* de alegría la proposición* del 20 capitán, y le rogaron que él fuese el primero. El capitán aceptó con todo gusto y tomó la pa- labra[8] durante largo tiempo en que todos le es- cucharon[9] silenciosos.* Cuando el señor Rolando acabó de hablar, tomó la palabra el teniente, y 25

[1] **uno comenzaba una historia,** one would begin a story.
[2] **chiste,** joke, jest.   [3] **callar,** to be silent.   [4] **en vez de,** in- stead of.   [5] **personas de juicio,** sensible people.   [6] **informarse unos a otros,** inform one another.   [7] **provecho,** benefit, pro- fit.   [8] **tomó la palabra,** took the floor.   [9] **escuchar,** to listen to.

19

después de él otro ladrón y luego otro. En fin, todos los ocho ladrones tomaron la palabra, y cuando los hube oído a todos, no me asombré de[1] verlos juntos.

Cambiaron luego de conversación, y propusieron[2] varios proyectos[3] para la próxima campaña,[4] y al poco rato cada uno se retiró* a su cuarto. Yo seguí al capitán Rolando al suyo, y mientras le ayudaba me dijo:

— Gil Blas, ya ves nuestro modo de vivir. Siempre estamos alegres y muy unidos.[5] Ahora comienzas, hijo mío, a gozar[6] una vida muy agradable.*

VIII. GIL BLAS TRATA DE ESCAPARSE

Después que el capitán hizo esta alabanza de su honrada profesión, se metió en la cama. Yo quité la mesa y puse todas las cosas en su lugar. Fuí después a la cocina, donde Domingo, (así se llamaba el negro), y la tía Leonarda me esperaban cenando.[7]

Aunque no tenía hambre, me senté a la mesa. No podía comer un solo bocado. Domingo y la tía Leonarda, viéndome tan triste, trataban de consolarme,* pero sus palabras contribuían* más a mi desesperación[8] que a mi consuelo.[9]

— ¿ Por qué estás tan triste, hijo mío ? — me preguntó la tía Leonarda. — Debes alegrarte de tu

---

[1] **asombrarse** (**de**), to be astonished (at). [2] **proponer: propusieron,** they proposed. [3] **proyecto,** plan. [4] **campaña,** campaign. [5] **unidos,** in harmony. [6] **gozar,** to enjoy. [7] **me esperaban cenando,** were waiting at the supper table for me. [8] **desesperación,** despair. [9] **consuelo,** consolation.

buena suerte. Eres joven, y pareces bueno y dócil[1];
en el mundo pronto te perderías; aquí está segura tu
inocencia.*

— Tiene razón la tía Leonarda — dijo Domingo
con una voz muy grave. — En el mundo no se en- 5
cuentran más que cuidados. Da muchas gracias a
Dios, amigo mío, porque te ha librado[2] para siempre
de los peligros[3] del mundo y los cuidados de la vida.

Sufrí con paciencia* aquellos discursos[4] que no me
daban ninguna esperanza. En fin, Domingo, des- 10
pués de haber comido y bebido bien, se fué a su
caballeriza. La tía Leonarda cogió una linterna y
me llevó a un cuarto muy feo que servía de cementerio* a los ladrones que morían de muerte natural,
donde vi una cama que más parecía sepultura que 15
cama.

— Éste es tu cuarto — me dijo la tía Leonarda,
pasándome la mano por la cara.[5] — El mozo cuyo
sitio tienes el honor de ocupar, durmió en esa cama
el tiempo que vivió entre nosotros, y sus huesos[6] 20
descansan debajo de[7] ella. Él se murió en la flor[8]
de su edad; no seas tú tan tonto que imites[9] su
ejemplo.

Diciendo esto me entregó la linterna y se volvió
a la cocina. Puse la linterna en el suelo y me arrojé 25

---

[1] **dócil,** docile, obedient.   [2] **librar,** to free; **te ha librado,**
God has delivered you.   [3] **peligro,** danger.   [4] **discurso,**
speech.   [5] **pasándome la mano por la cara,** stroking my face
with her hand.   [6] **hueso,** bone; **huesos,** remains.   [7] **debajo
de,** under, beneath.   [8] **en la flor de su edad,** in the bloom of
his youth.   [9] **que imites,** as to imitate.

21

sobre aquella cama miserable, no para descansar sino
para pensar.

— ¡ Oh cielos ! — exclamé.* — ¿ Habrá situación*
más infeliz que la mía ? ¿ No veré jamás la cara del
5 sol ? ¡ Enterrado[1] vivo a los dieciocho años de mi
vida, me veo obligado a pasar el día entre ladrones,
y la noche entre los muertos ! ¿ Será imposible encontrar modo de escaparme de aquí ? Los ladrones
duermen profundamente, la cocinera y el negro
10 también. Mientras todos estén dormidos, ¿ no
podré yo, con esta linterna, hallar el camino por
donde bajé a esta cueva infernal ? No sé si tendré
bastante fuerza[2] para levantar la trampa que cubre
la entrada; sin duda mi desesperación me dará las
15 fuerzas que necesito.

Habiendo tomado esta resolución,[3] me levanté
cuando me pareció que Leonarda y Domingo podían
ya estar dormidos. Cogí la linterna, salí de mi
cuarto, di varias vueltas[4] hasta que por fin llegué
20 a la puerta de la caballeriza, y me hallé en el camino
que buscaba. Fuí andando[5] y acercándome a la
trampa con cierta alegría y temor; mas ¡ ay ! en
medio del camino me encontré con una maldita reja
de hierro.[6] Traté de abrirla, tocándola por todas
25 partes. Estaba muy ocupado en esta operación*
cuando de repente sentí sobre la espalda cinco o seis
fuertes golpes. Di un grito que sonó por todo el

---

[1] **enterrado,** buried. [2] **fuerza,** strength. [3] **habiendo tomado esta resolución,** having come to this decision. [4] **di
varias vueltas,** I made several turns. [5] **fuí andando,** I went
walking along. [6] **reja de hierro,** iron grating.

subterráneo, y mirando atrás vi al negro, con una linterna en una mano y un látigo en la otra.

— ¡ Hola, muchacho ! — me dijo. — ¿ Querías escaparte ? No, amiguito, no esperes sorprenderme.[1] Creíste que estaría abierta la reja; pero la has hallado bien cerrada. El que logre[2] escaparse de aquí ha de ser menos tonto que tú. 5

Entretanto, al grito que yo había dado despertaron tres ladrones, los cuales se levantaron y vistieron a toda prisa creyendo que una tropa[3] de soldados venía a atacarlos.[4] Llamaron a los demás, quienes en un instante* se levantaron, tomaron las espadas y las escopetas, y vinieron a donde estábamos Domingo y yo. Pero luego que supieron el origen del ruido que habían oído, dieron grandes carcajadas, y uno de ellos me dijo: 10 15

— ¿ Qué es eso, Gil Blas ? Hace tan sólo[5] seis horas que estás con nosotros y ya quieres huir. Anda,[6] vete a tu cuarto y acuéstate a dormir.[7] Por ahora ha sido bastante tu castigo,[8] pero si otra vez tratas de escaparte, el castigo será mayor. Todos se volvieron a sus cuartos y el viejo se volvió a su caballeriza. Yo me volví a mi cementerio pasando el resto* de la noche en lamentar* mi mala suerte. 20

[1] **sorprender,** to surprise. [2] **lograr,** to succeed in; **el que logre,** whoever succeeds in. [3] **tropa,** troop. [4] **atacar,** to attack. [5] **tan sólo,** merely. [6] **anda,** hurry, come on. [7] **acuéstate a dormir,** lie down and go to sleep. [8] **castigo,** punishment.

23

IX. GIL BLAS FINGE[1]

Los primeros días pensé morirme de tristeza,[2] pero al fin decidí fingirme alegre.[3] Comencé a cantar y a reír a todas horas. Supe fingir[4] tan bien que la tía Leonarda y Domingo creyeron que ya me había 5 acostumbrado a mi nueva vida. Lo mismo creyeron los ladrones, porque yo parecía de muy buen humor cuando les servía el vino, y aun los divertía de vez en cuando con mis chistes. Esta libertad que yo me tomaba les daba mucho gusto.

10 — Gil Blas, — me dijo el capitán en cierta ocasión — has hecho bien en dejar tu tristeza; me gusta mucho tu espíritu y tu buen humor.

Los demás dijeron mil alabanzas en mi honor, y pareciéndome el momento oportuno, les dije:

15 — Señores, permítanme ustedes que les descubra[5] mi corazón. Desde que estoy en su compañía no me conozco a mí mismo porque he cambiado mucho; he comprendido su espíritu y he tomado el gusto[6] a su honrada profesión. Quisiera tener el honor de 20 ser uno de sus compañeros y de tomar parte en sus peligros.

Todos aprobaron mi buena voluntad, pero decidieron dejarme servir por algún tiempo para probar mi vocación.[7] Me vi, pues, obligado a tener paciencia

---

[1] **fingir,** to pretend, feign. [2] **tristeza,** sadness. [3] **fingirme alegre,** to pretend I was happy. [4] **supe fingir,** I was able to sham. [5] **descubrir,** to lay bare. [6] **he tomado el gusto,** I have taken a liking. [7] **probar mi vocación,** to test my aptitude (*for this calling*).

24

y esperar. Al cabo de seis meses llegó un día feliz
en que el señor Rolando dijo a los ladrones:

—Caballeros, es necesario* cumplir la palabra
que dimos a Gil Blas. Mañana le llevaremos con
nosotros para ponerle en el camino de la gloria.   5

Todos aprobaron, y en prueba de[1] que ya me
miraban como uno de ellos, me hicieron sentar a la
mesa con ellos, mandando a la señora Leonarda que
me sirviese. Después me hicieron quitar el vestido
viejo que llevaba y ponerme el de un caballero a 10
quien acababan de robar.

X. GIL BLAS ACOMPAÑA A LOS LADRONES

Una noche de septiembre* salí del subterráneo con
los ladrones. Iba armado[2] como todos, con pistolas
y una espada, y montaba un buen caballo que habían
quitado al caballero[3] cuyos vestidos me habían dado. 15
Al día siguiente sufrí mucho con la luz del sol, pero
poco a poco se acostumbraron mis ojos a ella.

Nos metimos en un bosque donde estuvimos la
mayor parte del día sin ver nada de provecho.
Estábamos para salir[4] del bosque cuando de repente 20
descubrimos a lo lejos un coche[5] que venía en
dirección* nuestra. Junto al coche iban tres hombres
a caballo, que parecían bien armados.

---

[1] **en prueba de,** as evidence (*proof*) of.   [2] **iba armado,** I was
armed.   [3] **habían quitado al caballero,** had taken from the
gentleman.   [4] **estábamos para salir,** we were on the point of
leaving.   [5] **coche.** carriage.

Rolando nos mandó avanzar[1] en orden de batalla.* Yo sentí un temblor[2] por todo el cuerpo. Rolando me miró enojado y me dijo apuntándome con su pistola:

5 — Oye, Gil Blas, trata de hacer tu deber[3]; si no, te mato.

Entretanto el coche y los caballeros se acercaban; éstos conocieron luego nuestra mala intención,* y se pararon a recibirnos. Todos llevaban armas. Salió 10 del coche un caballero ricamente vestido, montó en un caballo que iba libre,[4] y se puso al frente de los demás. Aunque eran sólo cuatro contra nueve, se arrojaron sobre nosotros.

Temblaban todos los miembros de mi cuerpo, pero 15 tuve valor* suficiente* para disparar mi escopeta, cerrando los ojos y volviendo la cabeza a otra parte. No podré relatar las circunstancias* de la acción,* porque aunque estaba presente, no veía nada. Lo único[5] que podré decir es que después de un gran 20 ruido, oí gritar a mis compañeros: « ¡ Victoria,* victoria ! »

Al oír este grito ya no tuve más miedo, y entonces pude ver tendidos en el campo los cadáveres[6] de los cuatro que venían a caballo.[7] De los nuestros[8] sólo 25 murió uno, y el teniente fué herido[9] en un brazo.

Corrió luego el capitán Rolando al coche y vió den-

---

[1] **avanzar,** to advance.   [2] **temblor,** tremor, trembling. [3] **deber,** duty.   [4] **que iba libre,** that had no rider (*was going free*).   [5] **lo único,** the only thing.   [6] **cadáver,** corpse.   [7] **que venían a caballo,** who were riding.   [8] **de los nuestros,** of our men.   [9] **herido,** wounded.

tro una dama* de veinticuatro a veinticinco años, que
le pareció hermosa. La dama estaba desmayada.[1]
Mientras él se ocupaba en ayudarla a volver en
sí,[2] nosotros nos apoderamos de[3] los caballos que
habían servido a los muertos. También nos apode- 5
ramos de las cuatro mulas del coche, y las cargamos[4]
con todos los objetos de valor que encontramos. Por
orden del capitán sacamos del coche a la señora,
quien no había vuelto en sí aún, y la pusimos a
caballo con uno de los ladrones, dejando el coche en 10
el camino y llevándonos aun los vestidos de los
muertos.

XI. GIL BLAS SALVA A LA DAMA

Llegamos a la cueva por la noche. Lo primero
que hicimos fué meter las mulas en la caballeriza y
darles de comer[5]; porque el viejo negro estaba tan 15
enfermo que apenas podía moverse. Luego fuimos
a la cocina para cuidar a[6] la señora, quien se había
desmayado. Logramos con mucha dificultad hacerla
volver en sí; mas cuando abrió los ojos y se vió
rodeada de aquellos ladrones, sintió todo el peso de 20
su desgracia, y comenzó a llorar, y al poco rato se
desmayó otra vez. El capitán mandó que la llevasen
a la cama de Leonarda.

Pasamos nosotros a la sala, y uno de los ladrones,
que había estudiado para médico, le curó el brazo[7] 25

---

[1] **desmayarse,** to faint, swoon. [2] **volver en sí,** to regain
consciousness. [3] **apoderarse de,** to take possession of. [4] **cargar,** to load. [5] **darles de comer,** to feed them. [6] **cuidar a,** to
take care of. [7] **le curó el brazo,** treated his arm.

al teniente. En seguida abrimos las cajas que habíamos encontrado en el coche, y encontramos vestidos y algunas bolsas de dinero a cuya vista se alegraron todos.

5 La cocinera puso la mesa y sirvió la cena durante la cual me dijo Rolando:

— Confiesa la verdad, Gil Blas. Tuviste poco valor. Estabas muy asustado.

— No lo puedo negar[1] — contesté yo. — Lo con-
10 fieso, pero déjenme ustedes acompañarlos dos o tres veces más, y entonces verán si sé o no sé pelear.[2]

Hablaron después de las mulas y los caballos que habíamos traído, y decidieron que al día siguiente iríamos todos a venderlos a Mansilla, pueblo donde
15 no habría llegado aún la noticia[3] del robo.[4]

Acabamos de cenar y nos fuimos a la cocina para ver a la pobre señora, y la encontramos aún casi sin sentido.[5] La dejamos al cuidado de Leonarda y nos retiramos a nuestros cuartos. Yo, apenas me acosté,
20 en vez de dormir, sólo me ocupé en considerar* la desgracia de aquella señora. Era persona distinguida,* y por lo mismo[6] me parecía su suerte más lamentable.[7] Sentía mucha lástima por ella, como si la sangre[8] o el amor me hubieran unido[9] a ella.
25 Pensé en el gran peligro que corría y en los medios de salvarla, huyendo con ella de aquella maldita

---

[1] negar, to deny. [2] pelear, to fight. [3] donde no habría llegado aún la noticia, where the news had probably not arrived yet. [4] robo, robbery. [5] sin sentido, unconscious. [6] por lo mismo, for that very reason. [7] lamentable, deplorable. [8] sangre, (ties of) blood. [9] unir, to bind.

28

cueva. Me acordé de que el negro Domingo no podía moverse a causa de sus dolores, y la cocinera tenía la llave[1] de la reja. Este pensamiento[2] me inspiró* a hacer lo siguiente:

Fingí un dolor de estómago,[3] un cólico* formi- 5 dable,* y comencé a quejarme desesperado[4]: « ¡ Ay, ay, ay ! ¡ Por Dios, que me muero ! » Despertaron los ladrones y vinieron todos a mi cuarto.

— ¿ Qué tienes, muchacho ? ¿ Qué te pasa ?[5] — me preguntaban. 10

— ¡ Ay, ay, ay ! — les contesté, tocándome el estómago con ambas manos — un cólico horrible que me está matando.

Hacía toda clase de gestos[6] y contorsiones* para que me creyeran, y seguía quejándome desesperado: 15 « ¡ Ay, ay, ay ! ¡ Por Dios ! ¡ Que me muero ! »

De repente me quedé quieto,* pero a los pocos instantes volví a hacer peores gestos y contorsiones que antes. En una palabra, hice mi papel a las mil maravillas,[7] y los ladrones me creyeron. Se dieron 20 mucha prisa para curarme: uno me traía una botella de aguardiente y me hacía beber la mitad,[8] otro me ponía paños calientes[9] sobre el estómago, otro me daba aceite[10] etc. etc. Yo naturalmente* gritaba,

---

[1] llave, key. [2] pensamiento, thought. [3] fingí un dolor de estómago, I pretended to have a stomach ache. [4] quejarme desesperado, to complain (*moan*) desperately. [5] ¿ qué tienes ? . . . ¿ qué te pasa ? what is the matter with you ? what is happening to you ? [6] gesto, face, grimace. [7] hice mi papel a las mil maravillas, I played my part marvelously. [8] mitad, half. [9] paños calientes, hot cloths. [10] aceite, oil.

porque el aguardiente me quemaba la garganta[1] y se me subía a la cabeza,[2] y los paños calientes me quemaban el estómago. Mis compañeros atribuían* mis gritos al cólico, y me hacían sufrir dolores verda-
5 deros. En fin, no pudiendo ya sufrir más, me vi obligado a decir que ya no sentía los dolores, y que ya no necesitaba más remedios.*

Duró esta escena* casi tres horas, terminando* a eso de[3] las cuatro de la mañana. Los ladrones
10 decidieron irse a Mansilla. Yo mostré gran deseo de acompañarlos, y traté de levantarme, pero ellos no me lo permitieron.*

— No, no, Gil Blas, — me dijo Rolando — qué-date aquí, hijo mío, porque te podría repetir* el
15 cólico. Otro día vendrás con nosotros.

Todo lo fingí tan bien que ninguno tuvo sospecha de mí. Luego que partieron, me dije a mí mismo:

— Ánimo,[4] Gil Blas; ahora sí que necesitas gran ánimo y valor para acabar lo que tan felizmente has
20 comenzado. Domingo no está en situación de opo-nerse a[5] tus deseos, ni Leonarda tampoco. Si no te aprovechas de[6] esta oportunidad para escaparte, no encontrarás jamás otra tan favorable.

Estos pensamientos me dieron mucha confianza[7]
25 en mis fuerzas. Me levanté inmediatamente de la cama, me vestí, tomé la espada y las pistolas, y me

---

[1] me quemaba la garganta, burned my throat.   [2] se me subía a la cabeza, went to my head.   [3] a eso de, about.
[4] ánimo, courage; ahora sí que necesitas gran ánimo, now indeed you need great courage.   [5] oponerse a, to oppose, thwart.   [6] aprovecharse de, to profit by.   [7] confianza, confi-dence.

fuí derecho[1] a la cocina; pero antes de entrar en ella, me detuve[2] cerca de la puerta y oí que Leonarda hablaba con la señora desconocida. La señora lloraba y Leonarda le decía:

— Llora, hija mía; llora todo cuanto quieras[3]; 5 así te sentirás mejor. Pronto te acostumbrarás a vivir entre esta gente honrada. Todos son hombres de bien y te tratarán con toda cortesía. ¡ Oh cuántas mujeres quisieran tu buena fortuna !

No le di tiempo a decir más. Entré en la cocina, 10 le puse la pistola sobre el corazón, y le pedí la llave de la reja. No quiso perder la vida por tan poca cosa, y me entregó la llave. Luego que tuve la llave en la mano, me volví a la bella dama y le dije:

— Señora, el cielo le ha enviado a usted un liber- 15 tador.[4] Levántese para seguirme, y yo la conduciré con toda seguridad[5] a donde usted me lo mande.

Mis palabras hicieron tanta impresión* en su espíritu, que tuvo fuerzas suficientes para levantarse, y se arrojó a mis pies para darme las gracias. Yo 20 le di la mano para levantarla del suelo, le dije que no temiese nada, y cogí después unas cuerdas, y con la ayuda de la señora, até a Leonarda. Tomé luego una linterna, y acompañado de la señora desconocida, entré en el cuarto donde guardaban el 25 dinero, la plata y el oro; llené mis bolsillos y obligué a la señora a que hiciese lo mismo.[6] Después fuimos

[1] **derecho,** straight. [2] **detenerse: me detuve,** I stopped. [3] **llora todo cuanto quieras,** cry all you want to. [4] **libertador,** liberator. [5] **con toda seguridad,** with absolute safety. [6] **obligué a la señora a que hiciese lo mismo,** I compelled the lady to do the same.

31

a la caballeriza donde entré yo solo con la pistola en la mano. El viejo estaba tan enfermo que no hizo caso de mí. Saqué un buen caballo. La señora me esperaba a la puerta de la caballeriza. Abrimos la 5 reja y por fin llegamos a la trampa que cubría la entrada, y con mucho trabajo[1] pudimos levantarla.

Era ya de día cuando nos vimos fuera de aquella maldita cueva. Montamos ambos en el mismo caballo, y seguimos, a galope,[2] el primer camino que 10 se nos presentó. Salimos del bosque y nos encontramos con varios caminos. Seguimos uno de ellos esperando que no fuese el camino de Mansilla, a donde habían ido los ladrones. Tuvimos la buena suerte de no encontrarnos con ellos, y llegamos a 15 Astorga a las dos de la tarde. La gente nos miraba con curiosidad, acaso porque nunca habían visto el espectáculo de una mujer a caballo tras de[3] un hombre.

Entramos en la primera posada que vimos y mandé 20 al punto que nos cocieran una liebre[4] y nos sirvieran el mejor vino. Mientras se preparaba la comida conduje a la señora a un cuarto donde comenzamos a hablar, lo cual no habíamos podido hacer en el camino por la mucha prisa[5] con que viajamos. Ella 25 me dió las gracias por el gran servicio* que le había hecho, diciéndome que a vista de[6] una acción tan

[1] **con mucho trabajo,** with great difficulty.   [2] **a galope,** at a gallop.   [3] **a caballo tras de,** riding behind.   [4] **mandé al punto que nos cocieran una liebre,** I immediately ordered them to cook us a rabbit.   [5] **por la mucha prisa,** on account of the great speed.   [6] **a vista de,** in view of.

generosa,* ella no podía creer que yo fuese compañero de aquellos hombres de cuyo poder la había librado. Le conté entonces mi historia para confirmarla* en la buena opinión en que me tenía, y ella también me relató su vida.　　　　　5

— Soy doña Mencia de Mosquera — me dijo. — El caballero a quien los ladrones mataron era mi marido.

XII. NUNCA VIENE UNA DESGRACIA SOLA

Oímos en la posada un gran rumor[1] que llamó nuestra atención, y no pudimos seguir hablando, 10 porque entró en nuestro cuarto un juez acompañado de varios hombres. El primero que se me acercó fué un joven de mi edad. Se paró enfrente de mí para mirar muy de cerca[2] mi vestido, y después de unos instantes exclamó: 　　　　　　　　　　　　15

— Ésta es mi ropa; la conozco tan bien como he conocido mi caballo. Sobre mi palabra podéis prender[3] a este hombre. Sin duda es uno de los ladrones que se esconden en una cueva no muy lejos de aquí. 　　　　　　　　　　　　　　　　20

Al oír estas palabras quedé sorprendido y no pude contestar. Sin duda la ropa era de aquel joven. El juez me hizo prender[4] y también a la señora. Me llevaron inmediatamente a la cárcel,[5] a donde, al

---

[1] **rumor,** noise.　[2] **muy de cerca,** at a very close range.
[3] **prender,** to arrest.　[4] **me hizo prender,** had me arrested.
[5] **cárcel,** jail.

poco rato, vino el juez acompañado de varios policías,[1] quienes, según su costumbre, comenzaron a
registrarme[2] los bolsillos.[3] ¡ Qué día para aquella
honrada gente ! Acaso en todos los días de su vida
5 no habían tenido otro semejante.[4] En cada uno de
mis bolsillos encontraron muchas monedas de oro
y plata, y sus ojos brillaban de alegría. El mismo
juez parecía fuera de sí[5] a la vista de tanto dinero.

— Hijo mío, — me dijo en un tono* muy dulce —
10 no temas; no hacemos en esto más que nuestro
deber. Si eres inocente,* pronto saldrás de la cárcel.

Poco a poco me sacaron todo el dinero de los
bolsillos, aun los cuarenta ducados de mi tío que los
ladrones habían respetado.* Luego me quitaron
15 toda la ropa hasta la camisa, y después de haber
cumplido tan agradable obligación,* el juez me hizo
muchas preguntas que yo contesté punto por punto,
relatando todo lo que me había sucedido. El juez
hizo escribir todas mis contestaciones, y partió con
20 su gente y mi dinero.

— ¡ Oh vida humana ! — exclamé cuando me vi
solo en aquel miserable estado. — Desde que salí
de Oviedo no he experimentado* más que desgracias.
Apenas salgo de un peligro cuando caigo[6] en otro.
25 Haciendo estas reflexiones* inútiles[7] me puse una
ropa miserable que me dejaron, y después, hablando
conmigo mismo, dije:

— ¡ Ánimo ! Gil Blas; después de este tiempo

[1] **policía,** policeman. [2] **registrar,** to search. [3] **bolsillo,**
pocket. [4] **otro semejante,** another like it. [5] **fuera de sí,** beside himself. [6] **caer: caigo,** I fall. [7] **inútil,** useless.

34

vendrá otro feliz. ¿ Será posible que te desesperes[1] en una cárcel ordinaria* después de haber escapado felizmente de aquella cueva de ladrones ?

En lugar de la liebre que había pedido me trajeron un pedazo de pan negro y agua. Estuve en aquella cárcel quince días enteros* sin ver a nadie más que al carcelero,[2] quien venía todas las mañanas para registrar las prisiones.* Entraba y salía sin mirarme siquiera, y respondía con el silencio a todas mis preguntas.

Por fin un día vino el juez a verme y me dijo:

— Ya puedes alegrarte, hijo mío, porque te traigo una buena nueva.[3] Hice que condujesen[4] a Burgos a la señora que venía contigo después de examinarla* según era mi deber. Ella me ha dicho quién eres y me ha explicado* cómo la libraste del gran peligro en que se hallaba. Hoy mismo[5] saldrás de la cárcel, con tal que el arriero en cuya compañía viniste desde Peñaflor a Cacabelos, según has dicho, confirme* tu declaración.[6] Está en Astorga, y le he enviado a llamar.[7] Si él confirma tu declaración, inmediatamente te pongo en libertad.[8]

Estas palabras del juez me llenaron de esperanzas. Le di las gracias por la buena y pronta justicia* que me quería hacer. Apenas había acabado de hablar cuando llegó el arriero entre dos policías. Le

---

[1] desesperarse, to despair. [2] carcelero, jailer. [3] te traigo una buena nueva, I bring you a good piece of news. [4] hice que condujesen, I had them take. [5] hoy mismo, this very day. [6] declaración, deposition. [7] le he enviado a llamar, I have had him sent for. [8] te pongo en libertad, I'll set you free.

35

conocí inmediatamente; pero el bribón,[1] que sin duda
había vendido mi maleta[2] con todo lo que tenía
dentro, temiendo que yo se la pidiese, dijo que no
sabía quién era yo, y que jamás me había visto.

5   — ¡ Ah traidor !³ — exclamé yo. — Confiesa que
has vendido mi ropa. Mírame bien. Yo soy uno
de aquellos a quienes amenazaste[4] con el tormento
en Cacabelos, llenando a todos de miedo.

El arriero respondió muy fríamente que no me
10 conocía, y el juez me dijo entonces:

— Ya ves, hijo, que el arriero no confirma tu
declaración, y así no puedo sacarte de la cárcel, a
pesar de mi buena voluntad.

Fué necesario armarme nuevamente[5] de paciencia,
15 quedarme en la cárcel y sufrir al silencioso carcelero.
Cuando yo pensaba que no podía salir de allí, me
acordaba de mi oscuro[6] subterráneo y me decía a mí
mismo:

— En la cueva me hallaba menos mal que[7] en esta
20 cárcel miserable. Por lo menos, allá comía y bebía
alegremente con los ladrones, me divertía con sus
historias, y me consolaba* con la esperanza de poder
escapar algún día.

---

¹ **bribón,** scoundrel. ² **maleta,** valise, satchel. ³ **traidor,**
traitor. ⁴ **amenazar,** to threaten. ⁵ **nuevamente,** anew,
again. ⁶ **oscuro,** dark. ⁷ **me hallaba menos mal que,** I was
not so bad off as.

XIII. GIL BLAS SALE DE LA CÁRCEL

Mientras yo pasaba los días y las noches entregado
a mis tristes pensamientos, se supieron[1] por toda la
ciudad mis aventuras, ni más ni menos[2] como yo se
las había relatado al juez, y muchas personas quisieron verme por curiosidad. Venían a una venta- 5
nilla[3] que daba luz a mi prisión, y después de
haberme mirado algún tiempo se retiraban silencio-
sas.

Una de las primeras personas que vi fué el muchacho de Mondoñedo, que en Cacabelos se escapó, 10
como yo, por miedo del tormento. Le conocí luego,
y él no fingió como el arriero. Nos saludamos y
comenzamos una larga conversación en la cual le
relaté todas mis aventuras, y él por su parte me
relató todo lo que le había sucedido. Se despidió de 15
mí prometiéndome hacer todo lo posible para que
me dieran libertad. Desde entonces todas las personas que como él habían venido a verme por curiosidad, me aseguraron[4] que mis desgracias les movían a
compasión, prometiéndome hacer todo lo posible 20
para que saliese pronto de la cárcel.

Todos, en efecto,[5] cumplieron su palabra. Hablaron en favor mío al juez, quien no dudando ya
de mi inocencia, particularmente* después que el
muchacho de Mondoñedo le contó todo lo que sabía, 25
vino a verme un día y me dijo:

---

¹ **saber: se supieron,** were found out.   ² **ni más ni menos,** exactly.   ³ **ventanilla,** little window.   ⁴ **asegurar,** to as-·
sure.   ⁵ **en efecto,** as a matter of fact.

37

— Gil Blas, si yo fuese un juez severo * podría
detenerte aquí por algún tiempo; pero no lo soy.[1]
Estás libre y puedes salir cuando quieras. Pero antes
dime, si te llevaran a aquel bosque donde está el
5 subterráneo, ¿ podrías hallarlo ?

— No señor, — le respondí — porque entré en él
de noche y salí antes del día.

El juez se retiró satisfecho de mi inocencia, y al
poco rato vino el carcelero y me echó a la calle.[2]
10 Me fuí en busca del muchacho de Mondoñedo para
darle las gracias, y él riéndose de mi triste figura* y
de la ropa ridícula* que llevaba me dijo:

— ¿ Qué piensas hacer ahora ?

— Mi intención — le contesté — es dirigirme
15 cuanto antes[3] a Burgos en busca de la dama a quien
libré de los ladrones. Naturalmente me dará dinero
con que comprarme ropa nueva, y luego partiré para
Salamanca. Mi mayor apuro[4] es que aún no estoy
en Burgos, y es menester[5] vivir en el camino.

20 — Ya te entiendo — me contestó. — Aquí tienes
mi bolsa; está un poco vacía a la verdad, pero te la
doy de muy buena voluntad.[6]

La acepté muy agradecido[7] como si me hubiese
dado todo el oro del mundo. Nos despedimos y salí
25 de aquel pueblo sin ver a ninguna de las otras personas que habían contribuido a librarme de la

---

[1] **pero no lo soy,** but I am not.   [2] **me echó a la calle,** let me
out.   [3] **cuanto antes,** as soon as possible.   [4] **apuro,** worry,
difficulty.   [5] **es menester,** it is necessary.   [6] **de muy buena
voluntad,** very willingly.   [7] **agradecido,** grateful, thankful.

prisión, dándoles dentro de mi corazón mil y mil bendiciones.

Cuando conté el dinero que había en la bolsa, vi que el muchacho de Mondoñedo me había dicho la verdad, porque sólo encontré en ella unas cuantas 5 monedas. Por fortuna[1] estaba ya acostumbrado a comer mal, y cuando llegué cerca de Burgos, me quedaban aún[2] dos o tres monedas. Aquí me encontré con un hombre tan hablador que no sólo contestó a todas mis preguntas, sino que me relató 10 una multitud* de cosas inútiles. Éste fué quien me dijo que doña Mencia se había retirado a un convento* de Burgos. Corrí al convento cuyas señas me dió aquel hombre. Doña Mencia me recibió amablemente.[3]   15

— Bien venido seas,[4] Gil Blas — me dijo. — Hace cuatro días que escribí a un conocido[5] mío de Astorga, rogándole que te fuese a ver, y que de mi parte[6] te dijese que vinieses a visitarme luego que salieses de la cárcel. Sabía que pronto te pondrían en liber- 20 tad. Bastaban para eso las cosas que dije en tu favor al juez.[7] Temía no volverte a ver,[8] ni tener el gusto de darte alguna prueba de mi agradecimiento.[9] Después del gran servicio que me hiciste

_____

[1] **por fortuna,** fortunately. [2] **me quedaban aún,** I still had left. [3] **amablemente,** graciously. [4] **bien venido seas,** welcome (be). [5] **un conocido,** an acquaintance. [6] **de mi parte,** in my name. [7] **bastaban para eso . . . juez,** the things I said to the judge in your favor were enough to set you free. [8] **temía no volverte a ver,** I feared I should never see you again. [9] **agradecimiento,** appreciation.

39

sería yo la mujer más ingrata[1] de las mujeres si no
hiciera nada por ti. He de sacarte[2] del mal estado
en que te hallas; debo y puedo hacerlo, porque soy
bastante rica.

5   Sacó una bolsa y me la entregó diciendo:

— Toma, Gil Blas, estos cien ducados sólo para
que te vistas lo mejor posible. Después te daré
mucho más, porque no quiero que mi agradecimiento
se limite* a esta corta[3] cantidad.[4]

10   Di mil gracias a la señora, y le juré que no partiría[5] de Burgos sin volver a despedirme de ella.

[1] **ingrato,** ungrateful. [2] **he de sacarte,** I must get you out.
[3] **corto,** short, small. [4] **cantidad,** quantity. [5] **le juré que no
partiría,** I swore to her I would not leave.

EJERCICIOS

I. NACIMIENTO DE GIL BLAS

I. *Find in the text words closely related in form to the
following words, and give the meaning of each:*

abrazar	cristiano	importante	tener
alegre	Grecia	inmediato	tristeza
argumento	habilidad	orgullo	viajar

II. *Find words related in meaning to the following:*

aldea	hallar	mandar	nunca
colegio	ir	modo	partir
fin	maestro	moneda	problema

III. *Answer in brief Spanish phrases:*

1. ¿ Con quién se casó el padre de Gil Blas ? 2. ¿ Quién

40

era Gil Pérez? 3. ¿Quién enseñó a Gil Blas a leer? 4. ¿Sabemos cómo se llamaba la esposa de Gil Pérez? 5. ¿Quién era el doctor Godínez? 6. ¿Qué estudió Gil Blas en la escuela? 7. ¿Qué le gustaba? 8. ¿Por qué fué Gil Blas a Salamanca? 9. ¿Por qué, al partir, puso una cara muy triste? 10. ¿Qué consejos le dieron?

II. PRIMERA AVENTURA DE GIL BLAS

I. *Answer in the briefest manner possible:*

1. ¿Fué solo Gil Blas a Peñaflor? 2. ¿Estaba muy contento de sí? 3. ¿Quién estaba en el camino? 4. Llevaba armas el soldado? 5. ¿Le dió Gil Blas todo su dinero? 6. ¿Dónde echó algunas monedas? 7. ¿Quedó satisfecho el soldado? 8. ¿Caminaba muy aprisa la mula? 9. ¿Por qué no caminaba muy aprisa? 10. ¿Le sucedió a Gil Blas otra aventura en el camino?

II. *Complete in as brief a manner as possible:*

1. Gil Blas era dueño de ... 2. En el camino de Peñaflor sacó su dinero y ... 3. Volvió los ojos hacia donde venía la voz y vió ... 4. Gil Blas cogió su dinero, se lo metió en el bolsillo y ... 5. Gil Blas dió golpes a su mula, pero ...

III. GIL BLAS EN PEÑAFLOR

I. *Mention words you already know that belong to the same word-families as the following:*

EXAMPLE: caballeriza (stable): caballo (horse), caballero (*originally* man on horseback *but now* gentleman *or* knight)

acuerdo	conversar	fríamente	pasear
caminar	cortesía	hablador	tardar
comida	deshacer	inútil	valer

II. *Employ the following elements correctly in making statements that apply to yourself at the present time; negative statements are permissible.*

1. echar pie a tierra ... mi automóvil ... (stops). 2. ser ... hablador ... clase. 3. contar (o *becomes* ue) ... infinidad de ... inútiles, porque ... (*manage to praise yourself*). 4. verse obligado a ... (*devise a take-off on some member of the class*). 5. deshacerse (*conjugated like hacer*) de ... libro (when I need money) ... 6. aprobar (o *becomes* ue) todo si (I am in a hurry) ... 7. tener ... gusto en conocerle (*or* conocerla). 8. dar de balde ... (¿ consejos? ¿ tiempo? ¿ oro?). 9. ser hombre de bien, porque ... (*tell why you think so*). 10. tener vergüenza de (to have received) ... una nota (*grade*) tan mala.

III. *Dígase quién o quiénes (Tell who):*

1. Se paró a la puerta de la posada. 2. Salió a recibirle. 3. Le llevó a su cuarto. 4. Llevaban la mula a la caballeriza. 5. Había servido al rey en el ejército. 6. Buscó al hombre para comprar la mula. 7. Compró la mula. 8. Había de partir para Astorga al día siguiente. 9. Quedaron de acuerdo. 10. Pidió de cenar.

IV. LA OCTAVA MARAVILLA DEL MUNDO

I. *Complete the following idiomatic expressions:*

1. El profesor acaba de ... 2. Tú tienes fama de ... 3. Se arrojó a ... 4. Me gusta ... 5. Usted se rió de ... 6. Hice cocer ... 7. No puedo menos de ... 8. Tuvimos que ...

II. *Formulate questions for the following answers:*

1. El tal caballero podía tener treinta años. 2. Los siete sabios dieron mucha gloria a Grecia. 3. El hombre

42

se arrojó también a la segunda tortilla. 4. Las alabanzas le sonaban bien a Gil Blas. 5. Este joven merece ser tratado como un rey. 6. Ahora Gil Blas desconfía de todo hombre desconocido. 7. Gil Blas se metió en la cama.

V. GIL BLAS HUYE DEL TORMENTO

I. *Expand the following infinitive phrases in making statements about yourself. Make some negative statements.*

1. acabar de casarse con ... (*describe him or her*). 2. **dar de comer** ... (*¿ a quién? how often?*). 3. echar chispas por los ojos ... (*tell the cause or when*). 4. dar tormento ... (*use the future tense in some threat*). 5. escaparse a toda prisa porque ... 6. dar una gran carcajada y mis compañeros (*asked me what was the matter*). 7. **tener** miedo cuando ... 8. meterse en ... (*¿ dónde ? ¿cuándo?*). 9. tener lástima ... (*¿ de quién? ¿ por qué?*).

II. *Dígase algo tocante a (Tell something about):*

1. Las personas que caminaban con el arriero. 2. Algunas señas de la novia. 3. La entrada de Gil Blas en la posada. 4. La huida (*flight*) de Gil Blas. 5. Los dos hombres que andaban por el bosque. 6. Las sospechas de Gil Blas. 7. La llegada de los ladrones a la cueva.

VI. LO QUE GIL BLAS VIÓ EN LA CUEVA

I. *Make* **nosotros** *the subject and expand the following:*

EXAMPLE: hallarse: Nos hallábamos muy cansados.

1. dar varias vueltas ... (*past absolute tense*). 2. **volver a ver** ... (*future tense*). 3. hacer preguntas ... (*¿ a quién?*) ... 4. tener buena suerte ... (*always or only occasionally?*). 5. nadar en oro y plata ... (*¿ cuándo?*).

43

II. *Answer in Spanish:*

1. ¿ Qué temía perder Gil Blas ? 2. ¿ Cómo caminaba ?
3. ¿ Qué había en la caballeriza ? 4. ¿ Quién preparaba
la cena ? 5. ¿ Cuántos años tenía la cocinera ? 6. ¿ Era
bonita ? 7. ¿ En dónde dormía Gil Blas ? 8. ¿ Quiénes
conocían la entrada de la cueva ? 9. ¿ Quiénes la construyeron ? ¿ Cuándo ? 10. ¿ Cómo se llamaba el jefe ?

VII. LLEGAN OTROS LADRONES

I. *Use the following phrases in complete sentences:*
1. poner la mesa. 2. dar cuenta de. 3. estar de
pie. 4. dar grandes carcajadas. 5. estar de acuerdo.
6. tomar la palabra. 7. cambiar de conversación.

II. *Answer in Spanish:*

1. ¿ En dónde comían los ladrones ? 2. ¿ Por qué
estaban tan contentos ? 3. ¿ Qué comían ? 4. ¿ Qué
hacían además de comer ? 5. ¿ De qué hablaban ?
6. ¿ Quiénes hablaban ? 7. ¿ Se conocían muy bien unos
a otros ? 8. ¿ Querían a Gil Blas ? 9. ¿ Por qué ?

VIII. GIL BLAS TRATA DE ESCAPARSE

I. *Dígase quién o quiénes:*

1. Hizo alabanzas de su profesión. 2. Se metió en la
cama. 3. Fué a la cocina. 4. Esperaba a Gil Blas.
5. No tenía hambre. 6. Trataba de consolar a Gil Blas.
7. Estaba muy triste. 8. Había dormido en esa misma
cama. 9. Se despertaron al grito de Gil Blas.

44

II. *Translate into Spanish:*

1. I got into bed. 2. We went to the kitchen. 3. They were not hungry. 4. They sat down at the table. 5. I should rejoice at my good fortune. 6. You are right. 7. I went to the stable. 8. I picked up a lantern. 9. This is my room. 10. I slept (*used to sleep*) in that bed. 11. He threw himself on that wretched bed.

IX. GIL BLAS FINGE

I. *Complete in a fitting manner:*

1. Los primeros días Gil Blas pensó . . . 2. Supo fingir tan bien que . . . 3. Gil Blas, has hecho bien . . . 4. Le gusta mucho . . . 5. Desde que estaba en su (*their*) compañía . . . 6. Todos aprobaron su buena voluntad, pero . . . 7. Se vió obligado a . . . 8. Caballeros, es necesario que . . . 9. En prueba de que me miraban como uno de ellos . . . 10. Me hicieron quitar . . .

X. GIL BLAS ACOMPAÑA A LOS LADRONES

I. *Prepare questions involving* **usted** *on the following:*

Example: salir de: ¿ Por qué salió usted del automóvil ?

1. ir armado. 2. acostumbrarse a. 3. descubrir a lo lejos. 4. tratar de. 5. pararse en. 6. montar en 7. tener miedo. 8. ocuparse en. 9. apoderarse de.

II. *Give the meaning of the following expressions:*

1. Íbamos armados. 2. Estoy para salir. 3. Se metieron en un bosque. 4. Junto al coche iba un hombre a caballo. 5. Trato de hacer mi deber. 6. Un caballo iba libre. 7. Nos pusimos al frente de los demás. 8. Oímos gritar al caballero. 9. De los nuestros murieron pocos. 10. La dama volvió en sí.

XI. GIL BLAS SALVA A LA DAMA

I. *Prepare questions beginning with* **qué** *or* **quién** (**quiénes**) *based on the following infinitives:*

1. poder moverse. 2. cuidar a (*a person*). 3. verse rodeado de. 4. desmayarse. 5. estudiar para médico. 6. curar (*a part of the body*) a (*a person*). 7. alegrarse de (*plus an infinitive*). 8. tener poco valor. 9. retirarse a (*a place*). 10. ocuparse en (*a task*). 11. pensar en (*a person or thing*). 12. acordarse de.

II. *Make simple statements about the following:*

1. la llegada a la cueva. 2. la cocinera. 3. el ladrón que había estudiado para médico. 4. las cajas encontradas en el coche. 5. la conversación entre Rolando y Gil Blas. 6. los proyectos (*plans*) para el día siguiente. 7. la desgracia de la señora. 8. la enfermedad de Domingo. 9. el cólico de Gil Blas. 10. el papel que hizo Gil Blas. 11. el aguardiente y los paños calientes. 12. el viaje a Mansilla. 13. lo que hizo Gil Blas primero. 14. las armas que llevaba. 15. cómo consiguió (*got*) Gil Blas la llave. 16. lo que dijo a la señora. 17. de qué se llenaron los bolsillos. 18. la trampa de la entrada.

XII. NUNCA VIENE UNA DESGRACIA SOLA

I. *Make up simple statements in Spanish involving the new expressions below:*

1. carcelero. 2. muy de cerca. 3. fuera de sí. 4. hoy mismo. 5. inútil. 6. una buena nueva. 7. prender. 8. registrar. 9. otro semejante. 10. traidor.

II. *Answer in Spanish:*

1. ¿ Qué se oyó en la posada ? 2. ¿ Quién entró ?

3. ¿Por qué se paró el joven enfrente de Gil Blas?
4. ¿Qué dijo? 5. ¿Qué hizo el juez? 6. ¿De quién
era la ropa de Gil Blas? 7. ¿Qué hallaron los policías
en los bolsillos de Gil Blas? 8. ¿Cómo parecía el juez?
9. ¿Qué le dijo a Gil Blas? 10. ¿Qué dijo Gil Blas
hablando consigo mismo? 11. ¿Qué comió? 12. ¿Cuántos días estuvo en aquella cárcel? 13. ¿Cuál era la
buena nueva que le traía el juez? 14. ¿Por qué no confirmó el arriero la declaración de Gil Blas?

XIII. GIL BLAS SALE DE LA CÁRCEL

Answer in Spanish:

1. ¿Por qué quisieron muchas personas ver a Gil Blas?
2. ¿Por dónde le hablaban? 3. ¿En dónde conoció Gil
Blas al muchacho de Mondoñedo? 4. ¿Qué le prometió
este muchacho? 5. ¿Quiénes hablaron al juez en su
favor? 6. ¿Por qué quería saber el juez el sitio donde
estaba la cueva de los ladrones? 7. ¿A dónde fué Gil
Blas cuando salió de la cárcel? 8. ¿Cuál era el mayor
apuro de Gil Blas? 9. ¿Cómo se resolvió ese apuro?
10. ¿Cuántas monedas le quedaron al llegar a Burgos?
11. ¿Quién le dió las señas del convento en donde se
hallaba doña Mencia? 12. ¿Cómo le recibió ella?
13. ¿Qué temía ella? 14. ¿Cuánto dinero le dió ella?

47

IMPORTANT IDIOMS USED IN THE TEXT

(Listed in order of occurrence)

pasaba por, was thought of as.

lo ajeno, what belongs to another.

tenga la bondad de, please.

Caminaba paso a paso. It was traveling at a snail's pace.

apenas eché pie a tierra, I had barely set foot on (the) ground.

me vi obligado a, I was compelled to.

de balde, free of charge.

no tuvo vergüenza en, was not ashamed to.

Quedamos de acuerdo. We agreed.

Pedí de cenar. I ordered supper.

dar a conocer, to make known.

de pronto, right away.

a la verdad, really, in truth.

hasta más no poder, to the utmost.

en lo mejor de su edad, in the prime of his life.

¡ Por vida de quien soy ! Upon my very soul !

Dieron una gran carcajada. They burst out laughing.

poner la mesa, to set the table.

dió cuenta de, made a report on.

estaban de acuerdo, were agreed.

Tomó la palabra. He took the floor.

me esperaban cenando, were waiting at the supper table for me.

habiendo tomado esta resolución, having come to this decision.

Di varias vueltas. I made several turns.

Fuí andando. I went walking along.

a toda prisa, very hurriedly.

desde que estoy en su compañía, since I have been in your company.

Estábamos para salir. We were on the point of leaving.

volver en sí, to come to.

¿ Qué te pasa ? What is wrong with you ?

Hice mi papel. I played my part.

Se dieron mucha prisa. They made great haste.

con toda seguridad, with absolute safety.

a eso de las cuatro, at about four o'clock.

muy de cerca, at very close range.

Le he enviado a llamar. I have had him sent for.

Te pongo en libertad. I'll set you free.

en efecto, in fact.

por fortuna, fortunately.

de muy buena voluntad, very willingly.

ni más ni menos, exactly (no more no less).

¡ Bien venido seas ! Welcome (be) !

La Gitanilla

By

MIGUEL DE CERVANTES SAAVEDRA

ABRIDGED AND EDITED

By

CARLOS CASTILLO
The University of Chicago

AND

COLLEY F. SPARKMAN
Belhaven College

Adding 249 new words and 45 new idioms to
the 1148 words and 158 idioms used in Books I–IV
Total: 1397 words and 203 idioms used in Books I–V

BOOK FIVE

D. C. HEATH AND COMPANY

BOSTON

TO THE TEACHER

DURING the years immediately following the publication of *El ingenioso hidalgo Don Quijote de la Mancha* in 1605, Cervantes' pen was apparently idle until 1613 when he brought out the *Novelas ejemplares*. They were well received by his contemporaries, including his famous rival, Lope de Vega, whose faint praise *"no les falta gracia y estilo"* must have been painful to utter; but other great men of letters, Quevedo, Tirso de Molina, Salas Barbadillo. were, indeed, more generous and enthusiastic than Lope.

La Gitanilla, more than the other *novelas ejemplares*, lends itself readily for presentation to readers of our Series. The plot of this romantic tale — for the word *novela* does not mean novel in the modern sense — is interesting, its style direct, and its vocabulary within the desired range.

We have not found it necessary to alter the original. Our task has been mainly to abridge and modernize, and only occasionally have we seen fit to substitute a modern for an archaic word, or a simple for an abstruse phrase.

In editing this text we have followed the same plan as in the preceding four books of the Series: (*a*) annotation, at the foot of the page, of each new word and idiom at its first occurrence, (*b*) starring of obvious cognates in the text, which, we assume, the student can make out without the use of notes or end-vocabulary. Doubtful cognates, however, are properly defined in the end-vocabulary.

The analysis on the following page shows the distribution of new and old root-words ranked according to the Buchanan List. It will be seen by this analysis that less than 35% of the words are beyond the first thousand of the List, and that less than 17% are beyond the second thousand.

	RANK	NUMBER OF NEW WORDS	NUMBER OF OLD WORDS	TOTAL
From the Approximate 250 Common Words Eliminated by Buchanan		2	115	117
From the 1st 500		31	198	229
" " 2d 500		51	84	135
" " 3d 500		41	42	83
" " 4th 500		29	15	44
" " 5th 500		19	9	28
" " 6th 500		9	5	14
" " 7th 500		15	6	21
" " 8th 500		12	3	15
" " 9th 500		5	0	5
" " 10th 500		7	2	9
" " 11th 500		6	0	6
" " 12th 500		3	0	3
" " 13th 500		1	0	1
" " 14th 500		1	0	1
Not in the Buchanan List		17	1	18
Total		249	480	729

TO THE STUDENT

We know that the reading of the preceding four books of this Series has enabled you by degrees to attempt to read with confidence Spanish prose as written by one of the greatest novelists of all times: Miguel de Cervantes Saavedra (1547–1616). The *Novelas ejemplares* occupy a place in Spanish literature second only to that of *El ingenioso hidalgo Don Quijote de la Mancha*, Cervantes' masterpiece. *La Gitanilla* has always been admired and used as a source of inspiration by writers of various nations. Hardy in the French drama, Wolf and Weber in the German comedy and opera, respectively, Longfellow in his dramatic poem *The Spanish Student*, to mention but a few names, have borrowed freely from Cervantes, and many of them have made Preciosa, *La Gitanilla*, the central figure of their works.

LA GITANILLA

Una gitana vieja crió[1] a una muchacha como nieta suya, a quien puso por nombre Preciosa, y a quien enseñó todas sus gitanerías,[2] sus engaños,[3] y sobre todo a hurtar.[4] La tal Preciosa salió la mejor bailarina[5] y la más hermosa de todas las 5 gitanas. Ni el sol, ni el aire, ni todas las inclemencias* del tiempo pudieron jamás marchitar[6] la belleza de su rostro ni de sus manos. A pesar del modo en que se criaba, demostraba haber nacido naturalmente cortés[7] y bien hablada. Es verdad 10 que sus modales[8] eran algo libres, pero jamás deshonestos.[9] Al contrario, era tan honesta que en su presencia* ninguna gitana, vieja ni joven, se atrevía a cantar canciones[10] malas ni a decir palabras no buenas. La vieja, pues, conoció el tesoro[11] que en 15 la nieta tenía, y así decidió* sacar de ella todo el provecho posible, y enseñarla a vivir por sus uñas.[12]

Preciosa aprendió de memoria multitud de versos,* especialmente* romances,[13] que los cantaba

---

[1] **criar,** to bring up. [2] **gitanería,** Gypsy trick. [3] **engaño,** fraud. [4] **hurtar,** to steal. [5] **bailarín, bailarina,** dancer. [6] **marchitar,** to wither; **marchitar la belleza de su rostro,** wither the beauty of her face. [7] **cortés,** polite. [8] **modales,** manners. [9] **deshonesto,** immodest; **honesto,** modest. [10] **canción,** song. [11] **tesoro,** treasure. [12] **uña,** fingernail, claw; **vivir por sus uñas,** to live by her wits. [13] **romance,** ballad.

1

con mucha gracia. Su abuela[1] la llevó a diversas
partes de Castilla, y a los quince años de su edad la
llevó a la Corte,* donde todo se compra y todo se
vende. La primera entrada que hizo Preciosa en
5 Madrid fué un día de Santa Ana, patrona* de esta
ciudad. Tomó parte en una danza* en que iban
ocho gitanas, cuatro viejas y cuatro muchachas, y
un gitano, gran bailarín, que las guiaba[2]; y aunque
todas iban limpias y bien vestidas, la belleza de
10 Preciosa era tal que se atraía[3] las miradas de cuantos
estaban presentes.* Corrían los muchachos a verla,
y los hombres a admirarla.* Pero cuando la oyeron
cantar, su admiración* llegó al colmo.[4] Preciosa
bailó después en la iglesia de Santa María, delante
15 de la imagen* de Santa Ana, y al son de las castañuelas,[5] cantó ella sola un romance que dejó a
todos encantados.[6] Unos decían: « ¡ Dios te bendiga,[7] muchacha ! » Otros: « ¡ Lástima es que esta
niña sea gitana. Merecía ser hija de un gran
20 señor ! »
     Se acabaron las fiestas de Santa Ana,[8] y quedó
Preciosa algo cansada; pero tan celebrada de
hermosa, de aguda, de discreta y de bailadora,[9]
que se hablaba de ella en toda la Corte. De allí en

---

[1] **abuela,** grandmother.   [2] **guiar,** to direct.   [3] **atraer,**
to attract.   [4] **colmo,** highest point, limit.   [5] **castañuela,**
castanet.   [6] **encantado,** charmed.   [7] **bendecir: Dios te
bendiga,** God bless you.   [8] **fiestas de Santa Ana,** festivities
(in honor) of Saint Ann (*the mother of the Virgin Mary, celebrated on July 26th*).   [9] **celebrada de hermosa, de aguda,
de discreta y de bailadora,** renowned for her beauty, for her
keenness and cleverness, and for her ability as a dancer.

2

quince días[1] volvió a Madrid con otras tres muchachas y con un baile nuevo, todas provistas[2] de romances y cantarcillos[3] alegres, pero todos honestos; porque Preciosa no consentía* que las que fuesen en su compañía* cantasen cantares deshonestos, ni 5 ella los cantó jamás. Nunca se apartaba[4] de ella la gitana vieja; la llamaba nieta, y ella la tenía por[5] abuela. Se pusieron a bailar en la sombra[6] en la calle de Toledo, y los que la venían siguiendo[7] hicieron una rueda[8] alrededor de ella; y mientras 10 las muchachas bailaban, la vieja pedía limosna,[9] y recogía[10] mucho dinero; porque la hermosura tiene la fuerza de despertar la caridad[11] dormida.

Acabado el baile, dijo Preciosa:

— Si me dan cuatro cuartos,[12] les cantaré un 15 romance yo sola.

Apenas hubo dicho esto, cuando casi todos los que en la rueda estaban dijeron a voces:

— Cántalo, Preciosa; aquí están mis cuartos.

Y así cayeron sobre ella tantos cuartos que la 20 vieja no tenía bastantes manos para recogerlos. Apenas acabó Preciosa su romance, cuando de todas las voces de la gente se formó* una voz sola que dijo:

[1] **de allí en quince días,** two weeks from that time. [2] **provisto,** supplied.   [3] **cantar,** song; **cantarcillo,** carol. [4] **apartarse de,** to get away from.   [5] **la tenía por,** considered her as.   [6] **sombra,** shade.   [7] **que la venían siguiendo,** who were following her.   [8] **rueda,** circle, ring.   [9] **pedía limosna,** begged (*asked alms*).   [10] **recoger,** to collect.   [11] **caridad,** charity.   [12] **si me dan cuatro cuartos,** if you give me a few pennies.

3

— ¡ Vuelve a cantar,[1] Preciosa, y no faltarán cuartos !

Más de doscientas personas estaban mirando el baile y escuchando el canto de las gitanas cuando
5 pasó por allí uno de los tenientes de la ciudad, y viendo tanta gente reunida se acercó y escuchó un rato. Le agradó[2] mucho la Gitanilla, y mandó decir a la gitana vieja que al anochecer[3] fuese a su casa con las gitanillas, porque quería que las oyese
10 doña Clara, su mujer. La vieja contestó que sí.

Acabaron el baile y el canto; se fueron calle adelante,[4] y desde una reja llamaron unos caballeros a las gitanas. Preciosa fué a la reja, que era baja, y vió en una sala muy bonita muchos caballeros que
15 se entretenían[5] jugando a diversos juegos.

— ¿ Quieren darme el barato,[6] señores ? — dijo Preciosa.

A la voz de Preciosa y al ver su cara, dejaron todos el juego para acercarse a la reja, porque ya tenían
20 noticia de ella, y dijeron:

— Entren, entren las gitanas.[7] Aquí les daremos el barato.

— Si tú quieres entrar, Preciosa — dijo una de las tres gitanillas que iban con ella — entra; pero
25 yo no pienso entrar[8] en donde hay tantos hombres.

— Mira, Cristina: — respondió Preciosa — cuí-

---

[1] **vuelve a cantar,** sing again.   [2] **agradar,** to please.   [3] **al anochecer,** at nightfall.   [4] **calle adelante,** up the street. [5] **entretenerse,** to amuse oneself.   [6] **barato,** *money given by winning gamblers to bystanders.*   [7] **entren las gitanas,** let the Gypsy girls come in.   [8] **no pienso entrar,** I do not intend to go in.

4

date de[1] un hombre solo, pero no de tantos juntos. Verdad que es bueno huir de las ocasiones[2]; pero ha de ser de las secretas,* y no de las públicas.*

— Entremos, Preciosa — dijo Cristina; — tú sabes más que un sabio. 5

Apenas hubo entrado Preciosa cuando un caballero vió un papel que llevaba, y acercándose a ella se lo tomó,[3] y Preciosa le dijo:

— No me lo tome, señor; es un romance que me acaban de dar ahora, y aún no lo he leído. 1(

— ¿ Y sabes tú leer, hija ? — dijo uno de los caballeros.

— Y escribir — respondió la vieja; — que a mi nieta la he criado[4] yo como si fuera hija de un sabio. 15

Abrió el caballero el papel y vió que venía dentro[5] una moneda de oro. Preciosa le dijo:

— Lea, señor, y lea alto[6]; veremos si el poeta* es tan discreto como es generoso.*

El caballero leyó el romance en voz alta, el cual 20 terminaba con este verso:

> Preciosa, joya de amor,
> Esto humildemente escribe
> El que por ti muere y vive,
> Pobre, aunque humilde amador.[7] 25

— En *pobre* acaba el último verso — dijo Preciosa.

[1] cuídate de, be on guard against, avoid. [2] huir de las ocasiones, to flee from temptation. [3] se lo tomó, took it away from her. [4] a mi nieta la he criado, I have reared my granddaughter. [5] venía dentro, was enclosed (in it). [6] lea alto, read aloud. [7] amador, lover.

—¡Mala señal! Nunca los enamorados han de
decir que son pobres, porque al principio, la pobreza[1]
es enemiga del amor.

—¿Quién te enseña eso, muchacha?—dijo uno.
5 —¿Quién me lo ha de enseñar?[2]—respondió
Preciosa.—¿No tengo yo alma en mi cuerpo?
¿No tengo ya quince años? No hay gitano necio[3]
ni gitana boba[4]; porque para vivir deben ser agudos,
astutos* y embusteros.[5] ¿Ven esas muchachas mis
10 compañeras que ahora están calladas y parecen
bobas? Pues no lo son. No hay gitana de doce
años que no sepa lo que otras muchachas saben a
los veinticinco, porque tienen por maestros al diablo[6]
y al mundo, que les enseñan en una hora lo que
15 habían de aprender[7] en un año.

Con esto que la gitanilla decía tenía asombrados
a los oyentes,[8] y los que jugaban le dieron el barato,
y aun los que no jugaban. La vieja recogió treinta
reales, y más rica y más alegre que una Pascua de
20 Flores,[9] se fué con sus gitanillas a casa del señor
Teniente, diciendo que otro día volvería a dar contento[10] a aquellos tan generosos señores.

Ya tenía aviso la señora doña Clara, mujer del
Teniente, como habían de ir[11] a su casa las gitanillas,
25 y las estaba esperando como el agua de mayo[12] con

---

[1] **pobreza,** poverty. [2] **¿quién me lo ha de enseñar?**
who need teach it to me? [3] **necio,** fool. [4] **bobo,** stupid.
[5] **embustero,** tricky. [6] **diablo,** devil. [7] **lo que habían
de aprender,** what they were (supposed) to learn. [8] **oyente,**
listener. [9] **Pascua de Flores,** Easter Sunday. [10] **dar contento,** to please. [11] **habían de ir,** were to go. [12] **agua de
mayo,** May rain.

6

sus doncellas[1] y dueñas[2] y con otra vecina suya,
sus doncellas y dueñas; porque todas tenían ganas
de conocer a Preciosa. Apenas hubieron entrado
las gitanas, cuando entre las demás resplandeció[3]
Preciosa como la luz de una antorcha[4] entre otras 5
luces menores. Todas corrieron a ella: unas la
abrazaban, otras la miraban, éstas la bendecían,
aquéllas la alababan.[5] Doña Clara decía:

— ¡Éste sí que se puede decir cabello de oro![6]
¡Éstos sí que son ojos de esmeraldas! 10

La señora su vecina también la admiraba y la
tocaba; y viendo un pequeño hoyo[7] que Preciosa
tenía en la barba,[8] dijo:

— ¡Ay, qué hoyo! En este hoyo han de caer
cuantos lo miren. 15

Oyó esto un escudero[9] de la señora doña Clara,
hombre de larga barba[10] y largos años, y dijo:

— ¿Ése llama vuestra merced[11] hoyo, señora
mía? Pues yo sé poco de hoyos, o ése no es hoyo
sino sepultura de deseos vivos.[12] ¡Por Dios, tan 20
linda es la gitanilla, que hecha de plata no podría
ser mejor! ¿Sabes decir la buenaventura, niña?

---

[1] **doncella,** maid. [2] **dueña,** duenna, chaperon. [3] **resplandecer,** to shine. [4] **antorcha,** torch. [5] **alabar,** to praise. [6] ¡ **éste sí que se puede decir cabello de oro!** this can certainly be called golden hair! [7] **hoyo,** dimple. [8] **barba,** chin. [9] **escudero,** squire. [10] **barba,** beard. [11] **merced,** grace; **vuestra merced,** your honor. [12] **sepultura de deseos vivos,** tomb of living desires. (A pun: **vivo** means both "ardent" and "living"; the implication is that this charming dimple is fatal to all those who gaze upon it, for Preciosa is both irresistible and unattainable.)

7

— De tres o cuatro maneras — respondió Preciosa.

— Por vida del Teniente mi señor, me la has de decir,[1] niña de oro, niña de plata, niña de perlas.*

5 — Denle, denle la palma* de la mano a la niña, y una moneda con que haga la cruz — dijo la vieja — y verán qué de cosas[2] dice; porque sabe más que un doctor.

La señora Tenienta se buscó dinero en los bolsillos 10 y no halló una sola moneda. Pidió a sus criados y aun a la señora vecina; pero nadie tenía nada. Lo cual visto por Preciosa, dijo:

— Todas las cruces son buenas; pero las de plata o de oro son las mejores. El señalar la cruz en la 15 palma de la mano con moneda de cobre disminuye la buenaventura.[3]

— Tienes gracia,[4] niña — dijo la señora vecina.

Una doncella de las presentes, viendo la escasez[5] de la casa, dijo a Preciosa:

20 — Niña, ¿ podrás hacer la cruz con un dedal[6] de plata ?

— Con dedales de plata se hacen las cruces muy bien, con tal que los dedales sean muchos — respondió Preciosa.

25 — Uno tengo yo — replicó la doncella. — Si

---

[1] **me la has de decir,** you have to tell mine (*fortune*). [2] **qué de cosas,** what a lot of things. [3] **el señalar . . . disminuye la buenaventura,** to mark the cross on the palm of the hand with a copper coin jeopardizes one's good fortune. [4] **tienes gracia,** you are witty. [5] **escasez,** scarcity. [6] **dedal,** thimble.

8

éste basta, aquí lo tienes, con la condición de que
también a mí me has de decir la buenaventura.

— ¿ Por un dedal tantas buenaventuras ? — dijo
la gitana vieja. — Nieta, acaba pronto, que se hace
noche.[1]   5

Tomó Preciosa el dedal y la mano de la señora
Tenienta, y dijo:

> — Hermosita, hermosita,
> La de las manos de plata,
> Más te quiere tu marido   10
> Que el Rey de las Alpujarras.
> No te lo quiero decir,
> Pero poco importa[2]; vaya:
> Enviudarás,[3] otra vez,
> Y otras dos serás casada.   15
> No llores, señora mía;
> Que no siempre las gitanas
> Decimos el Evangelio[4];
> No llores, señora, acaba.
> Cosas hay más que decirte;   20
> Si para el viernes me aguardas,[5]
> Las oirás, que son de gusto,
> Y algunas hay de desgracias.[6]

Acabó su buenaventura Preciosa, y todos los
presentes querían saber la suya; pero ella les dijo 25
que aguardaran hasta el viernes próximo, pro-
metiéndole las señoras tener monedas de plata para
hacer las cruces. En esto[7] vino el señor Teniente, a

[1] **se hace noche,** it is getting dark.   [2] **poco importa,** it
matters little.   [3] **enviudarás,** you will become a widow.
[4] **Evangelio,** Gospel (truth).   [5] **aguardar** to await.   [6] **que
son de gusto y algunas hay de desgracias,** for they are pleasant
things, although some of them deal with misfortunes.   [7] **en
esto,** at this moment.

quien contaron maravillas de Preciosa; él hizo bailar a las gitanillas,[1] y metiéndose la mano en el bolsillo como para darles algo, la sacó vacía, y dijo:

— ¡ Por Dios que no tengo una sola moneda ! La señora doña Clara le dará un real a la gitanilla y yo se lo pagaré después.

— ¡ Bueno es eso, señor ! No hemos tenido entre todas nosotras un cuarto para hacer la señal de la cruz, ¿ y quiere que tengamos un real ?

Por fin se despidieron las gitanas y se juntaron con[2] las muchas mujeres que a la caída de la tarde[3] suelen salir[4] de Madrid para sus aldeas[5]; porque la vieja vivía en continuo* temor de que le robasen a su Preciosa.

Sucedió, pues, que la mañana de un día en que volvían a Madrid vieron en un valle cercano[6] a la ciudad un joven gallardo,[7] ricamente vestido. Llevaba una brillante* espada, y sombrero adornado* de plumas. Las gitanas le miraron asombradas de que a tales horas estuviese en tal lugar, a pie y solo. Él se acercó a ellas, y hablando con la gitana mayor, dijo:

— Por vida vuestra, amiga, deseo que vos y Preciosa me oigáis aquí aparte dos palabras,[8] que serán para vuestro provecho.

---

[1] **hizo bailar a las gitanillas,** had the Gypsy girls dance.
[2] **se juntaron con,** they joined.   [3] **a la caída de la tarde,** at nightfall.   [4] **soler: suelen salir,** are accustomed to leave.
[5] **aldea,** .village   [6] **valle cercano,** nearby valley.   [7] **gallardo,** dashing.   [8] **que vos y Preciosa me oigáis aquí aparte dos palabras,** you and Preciosa to hear privately a few words from me.

10

— Con tal que no nos alejemos mucho,[1] ni nos tardemos mucho — respondió la vieja.

Y llamando a Preciosa, se alejaron unos veinte pasos de las otras; y así, de pie, como estaban, el joven les dijo: 5

— Yo vengo de tal manera rendido a[2] la discreción y belleza de Preciosa que no he podido menos de[3] seguirla. Yo, señoras mías, soy caballero, como lo puede mostrar este hábito[4] — y apartando la capa* descubrió en el pecho uno de los más nobles 10 que hay en España. — Soy hijo de Fulano,[5] hijo único, que espera una herencia[6] razonable.* A pesar de ser de la nobleza que he dicho, quisiera ser aún más grande para levantar a mi grandeza la humildad de[7] Preciosa, haciéndola mi igual y mi 15 señora. Sólo quiero servirla y hacer su voluntad. Mi nombre es éste — y díjoselo; — mi padre vive en tal calle, y tiene tales y tales señas[8]; tiene vecinos de quien podéis informaros, y aun de los que no son vecinos también, porque el nombre de mi padre es 20 conocido en los patios de palacio* y de toda la Corte. Aquí traigo cien escudos de oro que deseo daros en prenda[9] de lo que os daré más tarde.

Mientras el caballero hablaba, Preciosa le estaba

---

[1] **con tal que no nos alejemos mucho,** provided we do not go very far. [2] **rendido a,** overcome (captivated) by. [3] **no he podido menos de,** I could not help. [4] **hábito,** habit (*distinctive attire*). [5] **Fulano,** So and So. [6] **herencia,** inheritance. [7] **para levantar a mi grandeza la humildad de,** to raise up to my high rank (*greatness*) the lowly estate of. [8] **tiene tales y tales señas,** has such and such distinguishing marks. [9] **en prenda,** as a pledge.

11

mirando atentamente,* y no le parecieron mal sus palabras ni su talle[1]; y volviéndose a la vieja, le dijo:

— Perdóneme,* abuela, de que responda a este 5 enamorado caballero.

— Responde lo que quieras, nieta.

— Yo, señor caballero, aunque soy gitana pobre y humildemente nacida, tengo cierto espíritu dentro de mí que me lleva a cosas grandes. No me mueven 10 promesas* ni regalos, y aunque de quince años, soy ya vieja en los pensamientos y entiendo más de aquello que mi edad promete. Una sola joya tengo: mi honor. Si queréis ser mi esposo,[2] han de preceder* muchas condiciones y averiguaciones.[3]

15 Primero he de saber si sois el que decís; luego habéis de dejar la casa de vuestros padres, tomar el traje de gitano y cursar[4] dos años en nuestras escuelas, en el cual tiempo nos conoceremos uno al otro. Si vos quedáis contento de mí y yo de vos, me 20 entregaré por vuestra esposa[5]; pero hasta entonces me trataréis como hermana.

Se asombró el joven al oír las palabras de Preciosa, y se quedó mirando al suelo como si considerase* lo que había de responder. Viendo lo cual Preciosa, le 25 habló así:

— No es este caso de tan poca importancia* para que pueda resolverse[6] en este momento. Volved a

---

[1] **talle**, figure.   [2] **esposo = marido**.   [3] **averiguación,** investigation.   [4] **cursar**, to take a course.   [5] **me entregaré por vuestra esposa,** I shall consent to be your wife.   [6] **para que pueda resolverse**, that it can be solved.

12

Madrid, señor, y considerad despacio lo que os convenga.[1]

— Cuando el cielo me dispuso para quererte,[2] Preciosa mía — dijo el caballero — decidí* hacer por ti lo que me pidieses; aunque nunca pensé que 5 me habías de pedir lo que me pides. Cuéntame por gitano desde luego,[3] y haz de mí todas las experiencias* que quieras. Yo siempre seré el mismo. Dime cuándo quieres que mude de traje[4]; yo quisiera que fuese luego, porque con ocasión de ir a 10 Flandes[5] engañaré a mis padres y sacaré dinero para gastar[6] algunos días. Necesito ocho días para arreglar mi partida.[7]

Convinieron en que de allí en ocho días[8] se verían en el mismo sitio, donde él vendría a dar cuenta de 15 sus negocios, habiendo ellas tenido tiempo para informarse de la verdad que les había dicho. Sacó el joven una bolsa, donde dijo que iban[9] cien escudos de oro, y se los dió a la vieja. Preciosa no quería que los tomase, pero la gitana le dijo: 20

— Calla, niña; ésta es la mejor señal que el caballero ha dado de estar enamorado. Además, no quiero yo que por mí pierdan las gitanas la fama*

---

[1] **convenir: lo que os convenga,** what suits you. [2] **disponer: el cielo me dispuso para quererte,** Heaven destined me to love you. [3] **cuéntame por gitano desde luego,** consider me a Gypsy right away. [4] **mudar de traje,** to change clothes. [5] **con ocasión de ir a Flandes,** with the pretext of going to Flanders. [6] **gastar,** to spend. [7] **arreglar mi partida,** to arrange my departure. [8] **convinieron en que de allí en ocho días,** they agreed that a week from that day. [9] **donde dijo que iban,** which he said contained.

que de codiciosas[1] han tenido por largos siglos. ¿ Cien escudos de oro quieres tú que desprecie?[2] ¿ Y si alguno de nuestros hijos, nietos o parientes cae, por alguna desgracia, en manos de la justicia,[3] 5 ¿ habrá favor que me niegue el juez[4] si estos escudos llegan a su bolsa? Considera, niña, que nuestra vida es muy peligrosa[5] y . . .

— Por vida suya, abuela, no diga más; no acabará nunca de alegar tantas leyes en favor de quedarse 10 con[6] el dinero; quédese con él, y buen provecho le haga.[7] A estas nuestras compañeras será menester darles algo; porque hace mucho que nos esperan,[8] y ya deben de estar enojadas.

— Nada de eso — replicó la vieja. — Este buen 15 señor verá si le ha quedado alguna moneda de plata. o algunos cuartos, y se los dará.

— Sí traigo — dijo el galán.

Y sacó del bolsillo algunas monedas que repartió[9] entre las gitanas, las cuales quedaron muy alegres 20 y satisfechas. Se decidió que dentro de ocho días había de venir a aquel sitio el galán, y que había de llamarse Andrés Caballero. No tuvo atrevimiento[10] Andrés (que así le llamaremos de aquí en

---

[1] **codicioso,** greedy. [2] **despreciar,** to scorn. [3] **de la justicia,** of the authorities (*of the law*). [4] **negar,** to deny; ¿ **habrá favor que me niegue el juez,** is there perchance a favor that the judge may refuse me? [5] **peligroso,** dangerous. [6] **alegar tantas leyes en favor de quedarse con,** to cite (*allege*) so many reasons (*laws*) in favor of keeping. [7] **buen provecho le haga,** may it profit you. [8] **hace mucho que nos esperan,** they have been waiting for us a long time. [9] **repartir,** to distribute. [10] **no tuvo atrevimiento,** did not dare (did not have the boldness).

14

adelante)[1] de abrazar a Preciosa antes de marcharse[2] para Madrid. Ella, por su parte, deseosa
de saber si él había dicho la verdad, entró también
en Madrid, y sin detenerse a bailar en ninguna
parte, se fué a la casa del padre de Andrés. Habiendo 5
andado la mitad de la calle, alzó[3] los ojos hacia unos
balcones* de hierro y vió allí a un caballero de unos
cincuenta años de edad, con un hábito de cruz colorada sobre el pecho, de venerable* presencia*; el
cual apenas hubo visto a la Gitanilla, dijo: 10

— Subid, niñas; aquí os darán limosna.

A esta voz se asomaron[4] al balcón otros tres
caballeros, y entre ellos vino el enamorado Andrés,
quien viendo a Preciosa, se puso pálido,[5] y estuvo a
punto de perder los sentidos.[6] Subieron todas las 15
gitanillas, y la vieja se quedó abajo para informarse
de lo que les había dicho Andrés. Al entrar la
Gitanilla en la sala, dijo el caballero anciano[7] a los
demás:

— Ésta debe de ser, sin duda, la Gitanilla her- 20
mosa.

— Ella es — replicó Andrés; — y sin duda es la
más hermosa criatura que jamás se ha visto.

— Así lo dicen — contestó Preciosa; — pero en
verdad que se engañan en la mitad.[8] Bonita, bien 25
creo que lo soy; pero no tan hermosa como dicen.

---

[1] de aquí en adelante, from now on, henceforth.
[2] marcharse = irse. [3] alzar, to raise, lift. [4] asomarse
a, to appear at. [5] se puso pálido, turned pale. [6] a punto
de perder los sentidos, on the point of losing consciousness.
[7] anciano = viejo (person). [8] se engañan en la mitad, they
deceive themselves by half.

15

— ¡ Por vida de don Juanico, mi hijo — dijo el anciano; — eres más hermosa de lo que dicen, linda gitana !

— ¿ Y quién es don Juanico, su hijo ? — preguntó
5 Preciosa.

— Ese galán que está a vuestro lado — respondió el anciano.

— Yo pensé que hablaba usted de algún niño de dos años. ¡ Mirad qué don Juanico ! Pudiera ya
10 estar casado, y según las rayas[1] que tiene en la frente[2] no pasarán tres años sin que lo esté.[3]

En esto, las gitanillas que iban con Preciosa se apartaron a un lado para no ser oídas, y dijo Cristina:

— Muchachas, éste es el caballero que nos dió
15 dinero esta mañana.

— Así es la verdad; pero no digamos nada.

— Yo sé del señor don Juanico que es enamorado, impetuoso y prometedor[4] de cosas que parecen imposibles — dijo la Gitanilla; — ojalá que no sea
20 mentiroso,[5] porque eso sería lo peor de todo. Un viaje ha ae hacer ahora muy lejos de aquí; el hombre propone y Dios dispone; pensará que va a Oñez y llegará a Gamboa.[6]

A esto respondió don Juan:

25 — En verdad, gitanilla, que has adivinado[7] muchas

---

[1] **raya,** line, wrinkle.   [2] **frente,** forehead.   [3] **sin que lo esté,** without his being so (*married*).   [4] **prometedor,** given to making promises.   [5] **ojalá que no sea mentiroso,** God grant that he be not a liar.   [6] **pensará que va a Oñez y llegará a Gamboa,** he probably thinks he is going in one direction, but he'll end up by going in the opposite.   [7] **adivinar,** to foretell.

16

cosas acerca de mí; pero no soy mentiroso. Has adivinado lo del viaje largo,[1] pues dentro de cuatro o cinco días partiré a Flandes, aunque tú dices que no he de llegar allí.

— Calle, señorito — respondió Preciosa. — Todo 5 le resultará bien,[2] y sepa que yo no sé nada de lo que digo, aunque algunas veces adivino. Sin embargo, yo quisiera aconsejarle[3] que se quede en casa con sus padres; porque esas idas y venidas[4] a Flandes no convienen a un joven de tan tierna edad. 10

— Ya te he dicho, niña — respondió el don Juan que había de ser Andrés Caballero — que en todo tienes razón menos en creer que yo sea mentiroso. La palabra que yo doy en el campo, la cumpliré en la ciudad. Ahora mi padre te dará limosna por mí, 15 porque esta mañana di cuanto tenía a unas damas muy hermosas, especialmente* una de ellas.

— ¡ Ay niñas, que me maten si no lo dice por el dinero[5] que nos dió esta mañana ! — dijo Cristina en voz baja. 20

— No es así — dijo una de las otras dos — porque dijo que eran damas, y nosotras no lo somos, y él ha dicho que no es mentiroso.

— No es mentira la que se dice sin hacer daño[6] a nadie, y en crédito* y provecho del que la dice. 25 Pero veo que no nos da nada ni nos manda bailar.

---

¹ **lo del viaje largo,** that matter of the long trip.   ² **le resultará bien,** will turn out well for you.   ³ **aconsejar, to advise.**   ⁴ **idas y venidas,** goings and comings.   ⁵ **que me maten si no lo dice por el dinero,** may they strike me dead if he isn't referring to the money.   ⁶ **daño,** harm.

17

Subió en esto la gitana vieja, y dijo:

— Nieta, acaba, porque es tarde, y hay mucho que hacer y más que decir.

— Por vida de Preciosa — dijo el anciano — os
5 ruego[1] que bailéis un poco; aquí tengo una moneda de oro.

Apenas hubo oído esto la vieja dijo:

— Ea, niñas, dad contento[2] a estos señores.

Tomó las castañuelas Preciosa, y todas las gitanas
10 comenzaron a dar vueltas y a bailar con mucha gracia. Todos las miraban encantados, especialmente Andrés, quien tenía los ojos fijos[3] en los pies de Preciosa. Con los movimientos* del baile se le cayó a la Gitanilla un papel que alzó uno de los pre-
15 sentes,[4] y abriéndolo al punto dijo:

— ¡ Bueno ! ¡ Soneto* tenemos ! Cese el baile y escúchenlo; porque según el primer verso, parece buen soneto.

Preciosa rogó que no lo leyesen por no saber el
20 contenido[5]; pero a pesar de sus ruegos[6] el caballero lo leyó en voz alta. Era un soneto en alabanza de la Gitanilla.

— ¡ Por Dios — dijo el que leyó el soneto; — tiene gracia el poeta que lo escribió !
25 Al oír el soneto, Andrés perdió el color de tal manera que su padre, viéndole tan pálido, le dijo:

---

[1] **rogar: os ruego,** I beg of you.   [2] **dad contento,** please, regale.   [3] **fijo,** fixed.   [4] **se le cayó a la Gitanilla un papel que alzó uno de los presentes,** the Gypsy girl dropped a paper which one of the bystanders picked up.   [5] **por no saber el contenido,** on account of not knowing the contents.   [6] **ruegos,** pleadings.

18

— ¿ Qué tienes, don Juan ? Parece que te vas a desmayar.

— Espérense — dijo entonces Preciosa; — déjenme decirle unas ciertas palabras al oído,[1] y verán cómo no se desmaya.[2]

Y acercándose a él, le dijo casi sin mover los labios:

— ¡ Tienes poco ánimo para gitano !

Y haciéndole media docena[3] de cruces sobre el corazón, se apartó de él, y entonces Andrés respiró un poco y dió señales de que las palabras de Preciosa le habían aprovechado.[4]

Se despidieron las gitanas después de recibir la moneda de oro prometida, y al irse, dijo Preciosa a don Juan:

— Mire, señor: cualquier día de esta semana es próspero[5] para partidas; salga lo más pronto posible, porque le espera una vida libre y muy amena.[6]

— No es tan libre la vida del soldado que parte para Flandes — respondió don Juan.

— Dios le lleve y traiga con bien[7] — contestó Preciosa.

Con estas últimas palabras se quedó muy contento Andrés. Las gitanas se fueron, habiéndose repartido entre todas igualmente* el dinero que habían recogido, aunque la vieja tomaba siempre parte y media.

---

[1] **decirle unas ciertas palabras al oído,** to whisper in his ear.   [2] **cómo no se desmaya,** that (*how*) he does not faint. [3] **docena,** dozen.   [4] le **habían aprovechado,** had done him good.   [5] **próspero,** auspicious.   [6] **ameno,** agreeable. [7] **Dios le lleve y traiga con bien,** may God take you and bring you back safely.

19

Llegó, en fin, el día en que Andrés se apareció una mañana en el lugar convenido, montado en una mula* de alquiler,[1] sin criado alguno. Preciosa y su abuela le recibieron con mucho gusto. Él les dijo que le
5 llevasen al rancho[2] cuanto antes, porque temía ser descubierto; y de allí a poco rato[3] llegaron a las barracas[4] de los gitanos. Entró Andrés en una de las barracas, que era la mayor del rancho, y luego vinieron a verle diez o doce gitanos, todos jóvenes,
10 gallardos y bien hechos,[5] a quienes ya la vieja había dado cuenta del nuevo compañero, sin tener necesidad de recomendarles* que guardasen el secreto,* porque los gitanos guardan siempre los secretos con sagacidad* y fidelidad nunca vistas. Echaron luego
15 ojo a[6] la mula, y dijo uno de ellos:

— Ésta se podrá vender el jueves[7] en Toledo.

— Eso no — dijo Andrés — porque no hay mula de alquiler que no sea conocida de todos los mozos de mulas.

20 — Aquí la transformaremos* de manera que no la conozca su propia madre, ni el dueño que la ha criado — dijo uno de los gitanos.

— Por esta vez se ha de seguir mi consejo[8] — replicó Andrés. — A esta mula se ha de dar muerte,[9]

---

[1] **una mula de alquiler,** a hired mule. [2] **rancho,** Gypsy camp. [3] **de allí a poco rato,** a short time thereafter. [4] **barraca,** tent, hut. [5] **bien hechos,** with good figures. [6] **echaron ojo a,** cast (covetous) looks at. [7] **jueves,** Thursday. [8] **se ha de seguir mi consejo,** my advice must be followed. [9] **a esta mula se ha de dar muerte,** this mule must be killed.

20

y ha de ser enterrada donde aun los huesos no parezcan.

— ¡ Pecado[1] grande ! — dijo otro gitano. — ¿ A una inocente* se ha de quitar la vida ?[2] No diga tal cosa el buen Andrés. Mírela bien ahora, y yo me 5 la llevaré de aquí para transformarla. Si de aquí a dos horas[3] la conoce . . .

— De ninguna manera consentiré* que la mula no muera — dijo Andrés. — Yo temo ser descubierto si la mula no está bajo tierra. Aquí tengo 10 más dinero del que vale[4] la mula para repartir entre todos.

— Pues así lo quiere el señor Andrés Caballero, que muera la inocente — dijo otro gitano; — y Dios sabe cuánto me pesa,[5] pues es joven y no tiene mu- 15 chos defectos, cosa rara en una mula de alquiler.

La muerte de la mula tuvo lugar por la noche, y ese mismo día se hicieron las ceremonias para iniciar a Andrés, a las cuales se hallaron presentes Preciosa y otras muchas gitanas, viejas y jóvenes, que le 20 miraban, unas con maravilla, otras con amor.

Hechas pues las ceremonias,[6] un gitano viejo tomó por la mano a Preciosa, y puesto delante de Andrés, dijo:

— Esta muchacha, que es la flor de toda la hermo- 25 sura de las gitanas, te la entregamos por esposa o

---

[1] pecado, sin.   [2] se ha de quitar la vida, must they take the life.   [3] si de aquí a dos horas, if within two hours from now.   [4] más dinero del que vale, more money than the mule is worth.   [5] cuánto me pesa, how much it grieves me.   [6] hechas las ceremonias, the formalities having been complied with.

por amiga. Nuestra vida es ancha[1] y libre, y no está
sujeta a[2] muchas ceremonias. Si no te agrada esta
doncella, escoge[3] entre las otras que aquí están la
que te agrade; pero has de saber que una vez esco-
5 gida, no la has de dejar por otra. Nosotros guar-
damos inviolablemente* la ley de la amistad,[4] y
vivimos libres de la amarga[5] pestilencia* de los
celos.[6] Nosotros mismos somos los jueces y los
verdugos[7] de la mujer infiel[8]; las matamos y las
10 enterramos por las montañas y desiertos* como si
fuesen animales. Con este temor, nuestras mujeres
procuran[9] ser buenas y fieles, y nosotros vivimos
seguros. Dos cosas pueden causar* entre nosotros
el divorcio*: la muerte y la vejez. El que quiere,
15 puede dejar a la mujer vieja, si él es joven, y escoger
otra que corresponda al gusto de sus años.[10] Con
éstas y otras leyes nos conservamos* alegres; somos
dueños de los campos, de los montes, de los bosques,
de las fuentes y de los ríos. Los montes nos dan leña
20 de balde[11]; los árboles, frutas; las fuentes, agua;
las cuevas, casas. De día trabajamos, y de noche
hurtamos. En conclusión,* vivimos por nuestra
industria,* y tenemos lo que queremos. Te he dicho
todo esto para que no ignores[12] la vida a que has

---

[1] **ancho,** broad (*easy*).   [2] **sujeto a,** subject to.   [2] **escoger,** to choose, select.   [4] **amistad,** friendship.   [5] **amargo,**
bitter.   [6] **celos,** jealousy.   [7] **verdugo,** executioner.   [8] **infiel,** unfaithful.   [9] **procurar,** to try.   [10] **gusto,** taste; **que
corresponda al gusto de sus años,** in keeping with the
inclinations of his age.   [11] **los montes nos dan leña de
balde,** the woodlands provide us with firewood free of charge
[12] **ignorar,** to be unaware of.

22

venido, y con el tiempo descubrirás otras cosas no menos dignas[1] de consideración que las que has oído.

Calló el elocuente* y viejo gitano, y Andrés, que se alegraba mucho de haber oído todo aquello, 5 declaró que desde aquel momento renunciaba[2] la profesión de caballero y se ponía debajo de las leyes de los gitanos, tomando a la divina* Preciosa.

— Aunque estos señores — dijo entonces Preciosa — han hallado por sus leyes que soy tuya, yo he 10 hallado por la ley de mi voluntad, que es la más fuerte de todas, que no quiero serlo, si no es con las condiciones que antes dije. Has de vivir dos años en nuestra compañía, antes de que yo sea tu esposa. Estos señores bien pueden entregarte mi cuerpo, 15 pero no mi alma, que es libre, nació libre y ha de ser libre mientras yo quiera.

— Tienes razón, ¡oh Preciosa! — exclamó a este punto Andrés. — Dime qué juramento[3] quieres que haga, o qué otra seguridad[4] puedo darte. 20

— Los juramentos y promesas pocas veces se cumplen. No, señor Andrés; no quiero juramentos ni promesas; sólo quiero dejarlo todo a la experiencia de estos dos años.

— Así sea[5] — dijo Andrés. — Sólo una cosa pido a 25 estos señores y compañeros míos, y es que no me obliguen* a hurtar durante un mes; porque me

---

[1] **digno,** worthy. [2] **renunciar,** to renounce. [3] **juramento,** oath. [4] **seguridad,** guarantee. [5] **así sea,** so be it.

23

parece que no he de aprender a ser ladrón si antes no
preceden* muchas lecciones.

— Calla, hijo — dijo el gitano viejo; — aquí te
enseñaremos el oficio,[1] y cuando lo sepas, has de
5 gustar mucho de él.[2] ¡ Bonita cosa es salir vacío
por la mañana y volver cargado por la noche al
rancho !

— Pues para recompensar[3] — dijo Andrés — lo
que yo había de hurtar en este tiempo, quiero re-
10 partir doscientos (200) escudos de oro entre todos
los del rancho.

Apenas hubo dicho esto cuando los gitanos le
levantaron en hombros gritando: « ¡ Viva, viva el
gran Andrés ! ¡ Viva, viva Preciosa, su amada ! »
15 Las gitanas hicieron lo mismo con Preciosa, no
sin envidia de Cristina; porque la envidia anda[4] lo
mismo en las casas de los pobres que en los palacios*
de los reyes.

Llegó la noche, enterraron la mula, y así quedó
20 Andrés seguro de no ser descubierto. Al otro día,
por consejo de Andrés, levantaron el rancho[5] para
alejarse de Madrid, y a los cuatro días llegaron a una
aldea cerca de Toledo donde establecieron su rancho.[6]
Los gitanos se esparcieron[7] por todos los pueblos
25 cercanos y trataron de dar a Andrés la primera

---

[1] **oficio,** trade.   [2] **cuando lo sepas has de gustar mucho
de él,** when you learn it you are bound to be very fond of it.
[3] **para recompensar,** to compensate for.   [4] **la envidia anda,**
envy lurks.   [5] **levantaron el rancho,** they broke camp.
[6] **establecer,** to establish; **establecieron su rancho,** they
pitched their tents.   [7] **esparcir,** to scatter.

24

lección de ladrón, mas al fin él les dijo que quería
hurtar por sí sólo, sin compañía de nadie. Tenía la
intención de apartarse de ellos para comprar alguna
cosa, y decir que la había hurtado. Haciendo esto,
trajo en un mes más ganancia[1] a la compañía que 5
cuatro de los más experimentados.[2]

Poco más de un mes se estuvieron cerca de Toledo,
y de allí se fueron a Extremadura, tierra caliente y
rica. No había lugar donde no se hablase de la
gracia y hermosura de la Gitanilla, y de las habili- 10
dades del gitano Andrés Caballero, y no había aldea
ni pueblo donde no los llamasen para celebrar fiestas públicas* o particulares.[3] De Extremadura se
fueron a la Mancha, y poco a poco se fueron caminando[4] hacia Murcia. 15

En Murcia le sucedió a Andrés una desgracia en
que estuvo a punto de perder la vida. Preciosa, su
abuela, Cristina con otras dos gitanillas, Andrés y
otro gitano, se alojaron[5] en una posada de una viuda[6]
rica, la cual tenía una hija de dieciocho años de edad, 20
llamada Juana Carducha. Ésta, habiendo visto
bailar a los gitanos, se enamoró de[7] Andrés tan
fuertemente que decidió tomarle por marido. Se
acercó a él, con prisa para no ser vista, y le dijo:

— Andrés, soy hija única y rica; esta posada es de 25
mi madre, y además de ella, posee muchas tierras y

---

[1] **ganancia,** gain, profit.   [2] **experimentado,** experienced.
[3] **particulares,** private.   [4] **se fueron caminando,** they kept
traveling.   [5] **alojarse,** to lodge.   [6] **viuda,** widow.   [7] **enamorarse de,** to fall in love with.

cuatro casas. Me has parecido bien¹; dime si me quieres por esposa; quédate, y verás qué vida nos damos.² Respóndeme pronto.

Andrés se quedó asombrado de la resolución de la
5 Carducha, y con la prontitud³ que ella pedía le respondió:

— Señora, ya estoy comprometido para casarme,⁴ y los gitanos no nos casamos sino con gitanas. Dios la guarde por el honor que me quería hacer, del cual
10 yo no soy digno.

La Carducha estuvo para caerse muerta⁵ con la respuesta de Andrés, y le habría contestado si en aquel momento no hubieran entrado en el corral otras gitanas. Se fué humillada⁶ y con deseos de ven-
15 ganza. Andrés, como hombre discreto, decidió huir de aquella ocasión que el diablo le ofrecía, y rogó a los gitanos que aquella misma noche partiesen de aquel lugar. Ellos, que siempre le obedecían,⁷ así lo hicieron.

20 La Carducha, viendo que con Andrés se le iba la mitad de su alma,⁸ decidió detenerle por fuerza; y para llevar a cabo⁹ su mala intención, puso dentro de la maleta de Andrés unos ricos corales,¹⁰ dos joyas

---

¹ **me has parecido bien,** you have made a good impression on me. ² **qué vida nos damos,** what a life we'll have together. ³ **prontitud,** promptness. ⁴ **comprometido para casarse,** engaged to be married. ⁵ **estuvo para caerse muerta,** was ready to drop dead. ⁶ **se fué humillada,** went away humiliated. ⁷ **obedecer,** to obey. ⁸ **se le iba la mitad de su alma,** half of her heart (*soul*) was being taken away from her. ⁹ **llevar a cabo,** to carry out. ¹⁰ **corales,** string of coral beads.

de plata y otros objetos de valor. Apenas habían
salido de la posada los gitanos, comenzó ella a dar
voces,[1] diciendo que le habían robado sus joyas; y
a las voces vinieron la justicia y toda la gente del
pueblo. Los gitanos hicieron alto,[2] y todos juraban[3] 5
que no llevaban ninguna cosa hurtada, ofreciendo
abrir todas sus maletas para probarlo. La gitana
vieja temía que en aquel escrutinio[4] saliesen a luz las
joyas de Preciosa y los vestidos de Andrés que ella
guardaba con sumo[5] cuidado; mas la Carducha le 10
quitó ese temor, porque a la segunda maleta que
abrieron dijo que preguntasen cuál era la de aquel
gitano, gran bailador, a quien ella había visto entrar
dos veces en su cuarto; acaso él tuviese las joyas.
Entendió Andrés que por él lo decía,[6] y riéndose, 15
dijo:

— Señora, ésta es mi maleta y éste es mi burro.
Si se halla en él o en ella lo que se ha perdido, yo
pagaré siete veces su valor, además de sufrir el
castigo que la ley da a los ladrones. 20

Abrieron, pues, la maleta de Andrés, y al punto
hallaron las joyas de la Carducha; de lo cual quedó
el joven tan espantado que parecía estatua sin voz,
de piedra dura.[7]

— ¿ No sospeché yo bien ? — dijo entonces la 25
Carducha. — ¡ Mirad qué buena cara para un ladrón
tan grande !

---

[1] **dar voces,** to shout.   [2] **hacer alto,** to halt.   [3] **jurar,** to
swear, vow.   [4] **escrutinio,** scrutiny.   [5] **sumo,** great, ex-
treme.   [6] **que por él lo decía,** that she was referring to him.
[7] **piedra dura,** hard stone.

El Alcalde,[1] que estaba presente, comenzó a decir mil injurias[2] a Andrés y a todos los gitanos. A todo callaba Andrés, y no acababa de comprender la traición[3] de la Carducha. En esto, se le acercó un soldado, sobrino[4] del Alcalde, diciendo:

— ¿ No ven qué pálido se ha puesto[5] el gitano ? Apostaré yo que niega el hurto,[6] a pesar de habérselo cogido en las manos.[7] Este bribón debería estar en la cárcel en vez de andar bailando de lugar en lugar y hurtando de posada en posada. Estoy por darle una buena bofetada[8] . . .

Y diciendo esto, alzó la mano y le dió una bofetada tal que le hizo recordar que no era Andrés Caballero, sino don Juan y *caballero;* y arrojándose sobre el soldado con mucha fuerza y más cólera,[9] le arrebató[10] su misma espada y se la metió en el cuerpo, dejándole muerto.

La gente gritaba, el Alcalde juraba, Preciosa se desmayó, y Andrés estaba asustado de verla desmayada. Por fin, todos se arrojaron sobre el homicida. Creció la confusión, crecieron también los gritos; y Andrés, por ayudar a Preciosa, dejó de defenderse.[11] Le prendieron y le cargaron de ca-

---

[1] **alcalde,** mayor.   [2] **injuria,** insult.   [3] **no acababa de comprender la traición,** did not fully understand the treachery   [4] **sobrino,** nephew.   [5] **se ha puesto,** has turned.   [6] **apostaré yo que niega el hurto,** I'll wager that he denies the theft.   [7] **a pesar de habérselo cogido en las manos,** in spite of having caught him red-handed.   [8] **estoy por darle una buena bofetada,** I am inclined to give him a good slap.   [9] **cólera,** anger.   [10] **le arrebató,** snatched from him.   [11] **por ayudar a Preciosa dejó de defenderse,** on account of taking care of Preciosa, he ceased to defend himself.

denas.[1] El Alcalde hubiera querido ahorcarle inmediatamente, pero se vió obligado a llevarle a la jurisdicción* de Murcia. No le llevaron a Murcia ese día, sino el siguiente, y entretanto Andrés sufrió mucho en la cárcel del lugar. El Alcalde prendió a 5 cuantos[2] gitanos y gitanas pudo, porque los más huyeron, y con mucha gente armada se los llevó a todos a Murcia. Salió toda Murcia a verlos, porque ya se tenía noticia de la muerte del soldado. Entre los presos[3] iba también Preciosa, cuya hermosura 10 aquel día fué tanta, que todos la miraban y la bendecían; y llegó la fama de su belleza a los oídos de la señora Corregidora,[4] quien por curiosidad* de verla, hizo que el Corregidor, su marido, mandase que aquella gitanilla no entrase en la cárcel. Metieron, 15 pues, a Andrés en una oscura prisión,* mas a Preciosa la llevaron con su abuela para que la Corregidora la viese, y luego que la vió dijo:

— Con razón la alaban de hermosa.[5]

Y la abrazó tiernamente y no se cansaba de mi- 20 rarla. Preguntó a la abuela qué edad tenía la niña.

— Quince años — respondió la gitana — dos meses más o menos.

— Esa misma edad tuviera ahora mi desdichada hija[6] Constanza. ¡ Ay, amigas, esta niña me re- 25 cuerda mi desventura ![7] — dijo la Corregidora.

[1] **cadena,** chain. [2] **cuantos,** all. [3] **preso,** prisoner.
[4] **corregidor,** magistrate; **corregidora,** magistrate's wife.
[5] **con razón la alaban de hermosa,** rightly they praise her for her beauty. [6] **esa misma edad tuviera ahora mi desdichada hija,** my lamented daughter would be now that same age.
[7] **me recuerda mi desventura,** reminds me of my misfortune.

Tomó Preciosa las manos de la Corregidora, y besándoselas muchas veces, se las bañaba con lágrimas[1] y le decía:

— Señora mía, el gitano que está preso no tiene 5 culpa,[2] porque le provocaron.* Le llamaron ladrón, y no lo es; le dieron una bofetada en el rostro. Por Dios, señora, haced que se le haga justicia,[3] y que el señor Corregidor no se dé prisa a ejecutar[4] en él el castigo con que las leyes le amenazan. Mi vida 10 depende* de la suya; él ha de ser mi esposo, y justos* motivos* lo han impedido[5] hasta ahora. Señora mía, si sabéis lo que es amor, y si alguna vez lo habéis sentido, y ahora amáis a vuestro esposo, tened piedad de mí, que amo tiernamente al que ha 15 de ser mío.

En todo el tiempo que esto decía, no le soltó[6] las manos, ni apartó de ella los ojos. La Corregidora la miraba también atentamente y con no pocas lágrimas. Estando en esto entró el Corregidor, quien 20 viendo a su mujer y a Preciosa cogidas de las manos[7] y llorando, quedó admirado[8] tanto de las lágrimas como de la hermosura. Preguntó la causa de aquel sentimiento,* y la respuesta que dió Preciosa fué soltar las manos de la Corregidora y echarse a los 25 pies del Corregidor, diciéndole:

[1] **se las bañaba con lágrimas,** bathed them with her tears. [2] **no tiene culpa,** is not (at all) to blame. [3] **haced que se le haga justicia,** cause justice to be done to him. [4] **que no se dé prisa a ejecutar,** that the Corregidor be in no hurry to carry out. [5] **impedir,** to hinder. [6] **soltar,** to let go. [7] **cogidas de las manos,** holding hands. [8] **quedó admirado,** was astonished.

30

— ¡ Señor, misericordia,[1] misericordia ! ¡ Si mi esposo muere, yo moriré también ! ¡ El no tiene culpa; pero si la tiene, denme a mí el castigo !

El Corregidor se conmovió[2] y estuvo a punto de acompañarla en sus lágrimas; y en tanto que[3] esto pasaba, la gitana vieja considerando grandes, muchas y diversas cosas, dijo al cabo de unos instantes:

— Espérenme, señores míos, un poco; que yo haré que estas lágrimas se conviertan en risa,[4] aunque a mí me cueste la vida.

Y así con ligero[5] paso se salió de donde estaba, dejando a los presentes confusos* con lo que había dicho. Mientras que ella volvía, no dejó Preciosa las lágrimas ni los ruegos para que se dilatase la causa[6] de su futuro* esposo, con intención de avisar[7] a su padre para que viniese a sacarle del peligro.

Volvió la gitana con un pequeño cofre[8] debajo del brazo, y dijo al Corregidor que tenía grandes cosas que decirles en secreto. El Corregidor, creyendo que le quería descubrir algunos hurtos de los gitanos, al momento se retiró con ella y con su mujer a otro cuarto, donde la gitana, poniéndose de rodillas ante los dos, les dijo:

— Si las buenas nuevas que os voy a dar, señores, no merecen alcanzar[9] el perdón* de un gran pecado

[1] misericordia, mercy.   [2] conmoverse, to be moved.
[3] en tanto que, while.   [4] haré que estas lágrimas se conviertan en risa, I'll have these tears changed to laughter.
[5] ligero, light, nimble.   [6] que se dilatase la causa, that
the prosecution of the case be delayed.   [7] avisar, to warn,
notify.   [8] cofre, chest, box.   [9] no merecen alcanzar, are not
enough to obtain.

31

mío, aquí estoy para recibir el castigo; pero antes de confesar* mi pecado quiero que me digáis, señores, si conocéis estas joyas.

Y descubriendo un cofre en que venían las joyas de
5 Preciosa, lo puso en las manos del Corregidor, quien, abriéndolo, vió unas joyas de niña; pero no entendió lo que podían significar.* Las miró también la Corregidora, pero tampoco cayó en la cuenta,[1] y sólo dijo:

10 — Estos son adornos[2] de alguna pequeña criatura.

— Así es la verdad — dijo la gitana; — y lo escrito en ese papel doblado[3] explica* quién sea la criatura.

El Corregidor abrió el papel y leyó: « Se llamaba
15 la niña Constanza de Acevedo y de Meneses; su madre doña Guiomar de Meneses, y su padre, don Fernando de Acevedo, caballero del hábito[4] de Calatrava. La hice desaparecer el día de la Ascención* del Señor,[5] a las ocho de la mañana, del año mil
20 quinientos noventa y cinco (1595). Traía la niña puestos[6] los adornos que están guardados[7] en este cofre. »

Apenas hubo oído la Corregidora estas palabras, cuando reconoció las joyas, se las puso a la boca, y
25 dándoles infinitos* besos, cayó desmayada. Cuando volvió en sí, preguntó:

[1] **tampoco cayó en la cuenta,** neither did she grasp the situation (*catch on*). [2] **adorno,** ornament, trinket. [3] **doblado,** folded. [4] **caballero del hábito de,** knight of the order of. [5] **Ascensión del Señor,** Ascension of the Lord (*forty days after Easter*). [6] **traía . . . puestos,** was wearing. [7] **guardado,** kept, stored.

32

— Mujer buena, ángel más bien que gitana, ¿ dónde está la criatura a quien pertenecen estas cosas ?

— ¿ Dónde, señora ? — respondió la gitana. — En vuestra casa la tenéis; aquella gitanilla que os 5 sacó las lágrimas de los ojos[1] es la criatura a quien pertenecen estos adornos; y sin duda alguna es vuestra hija; porque yo la hurté en Madrid, de vuestra casa, el día y hora que ese papel dice.

Oyendo esto la señora, salió corriendo[2] a la sala 10 donde había dejado a Preciosa, a quien halló rodeada de sus doncellas y criadas, todavía llorando; se acercó a ella, y sin decirle nada, con gran prisa le desabrochó[3] el pecho para mirar si tenía una señal blanca con que había nacido, y la halló ya grande, 15 porque con el tiempo había crecido. Luego, con la misma prisa, le quitó los zapatos y encontró lo que buscaba: los dos dedos[4] últimos del pie derecho estaban unidos uno con el otro con un poquito de carne.[5] El pecho, los dedos, las joyas, el día del 20 hurto, la confesión de la gitana y la alegría que habían recibido sus padres cuando la vieron, confirmaron* en el alma de la Corregidora ser Preciosa su hija[6]; y así, cogiéndola en sus brazos, se volvió con ella a donde el Corregidor y la gitana estaban. 25

Iba Preciosa confusa[7] sin entender la razón de

[1] os sacó las lágrimas de, wrung tears from your eyes. [2] salió corriendo, ran out. [3] desabrochar, to unbutton, unfasten. [4] dedo del pie, toe. [5] un poquito de carne, a little bit of flesh. [6] en el alma de la Corregidora ser Preciosa su hija, in the mind of the Corregidora that Preciosa was her daughter. [7] iba Preciosa confusa, Preciosa was perplexed.

aquellas diligencias,[1] y mucho más viéndose llevar
en brazos de la Corregidora, quien le daba cien besos.
Llegó, por fin doña Guiomar a la presencia* de su
marido, y pasándola de sus brazos a los del Corre-
5 gidor, le dijo:

— Recibid, señor, a vuestra hija Constanza, que
ésta es sin duda; no lo dudéis, señor, de ningún
modo, porque he visto la señal blanca en su pecho, y
tiene juntos los dos últimos dedos del pie derecho;
10 y además, a mí me lo está diciendo el alma desde el
instante* que mis ojos la vieron.

— No lo dudo — contestó el Corregidor — te-
niendo en sus brazos a Preciosa; — porque los mismos
pensamientos han pasado por mi alma[2] que por la
15 vuestra; y además, tantas señales juntas, ¿ cómo
podrían suceder si no fuera por milagro ?[3]

Toda la gente de casa estaba asombrada, pregun-
tándose unos a otros qué sería aquello. ¿ Quién
había de imaginar[4] que la Gitanilla era hija de sus
20 señores ?

El Corregidor dijo a su mujer, a su hija y a la
gitana vieja que aquel caso estuviese secreto hasta
que él lo descubriese.[5] Dijo, además a la vieja que la
perdonaba; pero que sólo sentía una cosa[6]: que
25 ella, sabiendo la calidad[7] de Preciosa, la hubiese
desposado[8] con un gitano ladrón y homicida.

[1] diligencia, investigation.   [2] han pasado por mi alma,
have crossed my mind.   [3] por milagro, as a miracle.
[4] ¿ quién había de imaginar ? who would have suspected?
[5] hasta que él lo descubriese, until he should disclose it.
[6] sólo sentía una cosa, regretted only one thing.   [7] calidad,
rank.   [8] desposar, to betroth.

— ¡ Ay ! señor mío — dijo a esto Preciosa; — Andrés no es gitano ni ladrón, aunque es matador.[1] Pero mató a quien le quitó su honra, y no pudo hacer menos de[2] mostrar quién era, y matarle.

— ¿ Cómo que no es gitano,[3] hija mía? — dijo 5 doña Guiomar.

Entonces la gitana vieja contó brevemente[4] la historia de Andrés Caballero, quien era hijo de don Francisco de Cárcamo, caballero del hábito de Santiago, y que se llamaba don Juan de Cárcamo, 10 y era también caballero del mismo hábito, cuyos vestidos ella tenía. Contó también el concierto[5] que entre Preciosa y don Juan estaba hecho de aguardar dos años de aprobación* para casarse o no; habló de las virtudes de ambos y la agradable con- 15 dición de don Juan. Se admiraron tanto de esto[6] como de haber hallado a su hija, y el Corregidor mandó a la gitana que fuese por los vestidos de don Juan.

En tanto que ella iba y volvía,[7] hicieron sus padres 20 a Preciosa cien mil preguntas, a las que respondió con tanta gracia y discreción, que aunque no la hubieran reconocido por hija, se hubieran enamorado de ella. Le preguntaron si tenía cariño a don Juan, y ella respondió que estaba agradecida a él por 25

---

[1] **matador,** killer.   [2] **no pudo menos de,** could not help. [3] **¿ cómo que no es gitano?** what do you mean he is not a Gypsy?   [4] **brevemente,** briefly.   [5] **concierto,** agreement. [6] **se admiraron tanto de esto,** they were as much surprised at this.   [7] **en tanto que ella iba y volvía,** while she was going and coming.

haberse humillado[1] a ser gitano por ella; pero que
su agradecimiento no se extendería a más de aquello
que[2] sus señores padres quisiesen.

— Calla, Preciosa — dijo su padre; — te casare-
5 mos con alguien digno de ti.

Suspiró Preciosa, y su madre entendió que suspiraba de amor por don Juan, y dijo a su marido:

— Siendo don Juan de Cárcamo tan noble, y
queriendo tanto a nuestra hija no nos estaría mal[3]
10 dársela por esposa.

— La acabamos de hallar ¿ y ya queréis que la
perdamos ? Gocémosla[4] algún tiempo; después no
será nuestra sino de su marido.

— Tenéis razón, señor — respondió ella; — pero
15 entretanto dad orden de sacar a don Juan, que
debe de estar en algún calabozo.[5]

— Sí — dijo Preciosa; — porque a un ladrón, matador, y sobre todo gitano, no le habrán dado mejor
sitio.[6]

20 — Yo quiero ir a verle — respondió el Corregidor,
— y de nuevo mando que nadie sepa esta historia
hasta que yo lo quiera.

Entró solo en el calabozo donde estaba don Juan,
y le halló cargado de cadenas. El calabozo era os-

[1] agradecida a él por haberse humillado, grateful to him for
having humbled himself.   [2] su agradecimiento no se extendería a más de aquello que, her gratitude would not go beyond the point that.   [3] no nos estaría mal, it would not be
unbecoming of us.   [4] gocémosla, let us enjoy her.   [5] que
debe de estar en algún calabozo, for he must be in some
dungeon.   [6] no le habrán dado mejor sitio, they have not
likely given him a better place.

curo, pero hizo que abriesen una ventanilla **por** donde entraba una luz muy escasa.[1]

— ¿ Cómo está el gitano ? — dijo el Corregidor a don Juan. — Así quisiera yo tener a cuantos gitanos hay en España para acabar con[2] ellos en un día 5 como Nerón con Roma, sin dar más de un golpe. Sabe, ladrón, que yo soy el Corregidor, y vengo a preguntarte si es verdad que vas a casarte con la Gitanilla.

Oyendo esto Andrés, imaginó que el Corregidor se 10 había enamorado de Preciosa, y respondió:

— Si ella ha dicho eso, es mucha verdad; y si ha dicho lo contrario, también es verdad; porque no es posible que Preciosa diga mentira.

— ¿ Tan verdadera es ? — replicó el Corregidor. 15 No es poco serlo, para ser gitana.[3] Bueno, muchacho; ella ha dicho que va a ser tu esposa, y sabiendo que **tú** has de morir, me ha pedido que antes de tu muerte la case contigo.

— Pues hágalo usted, señor Corregidor; con tal 20 que yo me case con ella, iré contento a la otra vida.

— ¡ Mucho la debes de querer ![4] — exclamó el Corregidor.

— Tanto — respondió el preso — que no lo puedo expresar con palabras. Es verdad, señor 25 Corregidor, que yo maté al que me quiso quitar la honra; yo adoro* a esa gitana; moriré contento si

---

[1] **escaso,** scant.   [2] **para acabar con,** to make short work of.   [3] **no es poco serlo, para ser gitana,** to be so is no small accomplishment for a Gypsy.   [4] **mucho la debes de querer,** you must love her a great deal.

muero en su gracia; ambos hemos cumplido lo que nos prometimos.

— Esta noche enviaré por ti — dijo el Corregidor, — y en mi casa te casarás con Preciosa, y
5 mañana a mediodía morirás. De esta manera yo habré cumplido con lo que pide la justicia y con el deseo de ambos.

Andrés le dió las gracias, y el Corregidor volvió a su casa para dar cuenta a su mujer de su visita a
10 don Juan y de otras cosas que pensaba hacer. Preciosa por su parte relató toda su vida a su madre, diciéndole que siempre había creído ser gitana[1] y ser nieta de aquella vieja; pero que siempre se había estimado en mucho más.[2]

15 Su madre le preguntó si en verdad quería bien a don Juan de Cárcamo. Ella bajó los ojos, y contestó que por haberse considerado[3] gitana, y porque mejoraba[4] su suerte casándose con un caballero tan noble como don Juan, y por haber visto sus buenas
20 cualidades,* le había mirado con buenos ojos[5]; pero que en todo haría la voluntad de sus señores padres.

A las diez de la noche sacaron a Andrés del calabozo, cargado de una gran cadena. De este modo
25 entró sin ser visto de la gente en casa del Corregidor, y le dejaron un rato solo en un cuarto. Al poco

---

[1] que siempre había creído ser gitana, that she had always thought she was a Gypsy. [2] se había estimado en mucho más, had esteemed herself much more highly. [3] por haberse considerado, on account of having considered herself. [4] mejoraba su suerte, improved her position (*chance*). [5] le había mirado con buenos ojos, had looked upon him with favor.

rato entró un clérigo,[1] quien le dijo que se confesase,* porque había de morir al día siguiente.

— De muy buena gana me confesaré — dijo Andrés; — pero, ¿cómo no me casan primero?

Doña Guiomar dijo a su marido que ya eran de- 5 masiados los sustos[2] para Andrés; y que podría perder la vida. Entonces el Corregidor entró a llamar al clérigo y le dijo que primero habían de casar al gitano con Preciosa.

Salió Andrés a una sala donde estaban solamente 10 doña Guiomar, el Corregidor, Preciosa y dos criados. Cuando Preciosa le vió con aquella cadena tan pesada,[3] el rostro pálido y los ojos con señales de haber llorado, estuvo a punto de desmayarse.

— Vuelve en ti,[4] niña, — le dijo doña Guiomar; 15 — todo lo que ves ha de ser para tu gusto y provecho.

— Señor cura,[5] este gitano y esta gitana son los que usted ha de casar.

— No lo podré yo hacer — contestó el cura — si 20 no preceden primero las circunstancias* que para tal caso se requieren.* ¿Dónde se han hecho las amonestaciones?[6] ¿Dónde está la licencia* de mi superior?

— Se me había olvidado — respondió el Corre- 25 gidor; — pero yo haré que el Vicario la dé.[7]

---

[1] clérigo, clergyman.   [2] ya eran demasiados los sustos, there had been too many scares.   [3] pesado, heavy.   [4] vuelve en ti, come to your senses.   [5] cura, priest (curate); señor cura, Reverend Father.   [6] amonestación, marriage ban.   ' yo haré que el Vicario la dé, I'll have the vicar give it.

— Pues hasta que yo la vea — replicó el cura — no será el casamiento.[1]

Y sin decir más, se salió de casa y los dejó a todos confusos.

5 — El cura ha hecho muy bien — dijo entonces el Corregidor. — La Providencia quiere que se dilate el tormento de Andrés[2]; porque, en efecto, para el casamiento han de preceder las amonestaciones. Entretanto, yo quisiera saber de Andrés si, como 10 esposo de Preciosa, se sentiría más feliz siendo Andrés Caballero o siendo don Juan de Cárcamo.

Al oír Andrés su verdadero nombre, dijo:

— Ya que Preciosa ha descubierto quién soy, ahora digo que aunque yo fuese monarca* del mundo, 15 no desearía otra dicha[3] mayor que el casarme con ella.

— Pues por el buen ánimo[4] que habéis mostrado, señor don Juan de Cárcamo, a su tiempo haré que Preciosa sea vuestra legítima* esposa; por ahora os 20 la entrego como la más rica joya de mi casa, de mi vida y de mi alma. Estimadla como decís, porque en ella os doy a doña Constanza de Meneses, mi única hija, la cual, si os iguala[5] en el amor, también os iguala en nobleza.[6]

25 Asombrado se quedó Andrés viendo el amor que le mostraban, y en pocas palabras doña Guiomar

---

[1] **no será el casamiento,** the marriage will not take place.
[2] **que se dilate el tormento de Andrés,** that Andrés' punishment (*torture*) be prolonged. [3] **dicha,** happiness. [4] **por el buen ánimo,** because of the good spirit. [5] **si os iguala,** if she equals you. [6] **nobleza,** nobility.

contó la pérdida de su hija, y cómo la había hallado, con lo cual se quedó don Juan aun más admirado, pero también muy alegre. Abrazó al Corregidor y a la Corregidora; los llamó padres y señores suyos; besó las manos a Preciosa, que con lágrimas le 5 pedía las suyas.[1]

Se rompió el secreto,[2] salió la nueva del caso con la salida[3] de los criados que habían estado presentes. Cuando lo supo el Alcalde tío del muerto, vió que era imposible perseguir al yerno[4] del Corregidor.   10

Don Juan se puso los vestidos que había traído la gitana; las prisiones y cadenas de hierro se convirtieron en libertad* y cadenas de oro; la tristeza de los gitanos presos se convirtió en alegría. El tío del muerto recibió la promesa de dos mil ducados, y así 15 quedó muy satisfecho.

El Corregidor dijo a don Juan de Cárcamo que sería bien esperar a su padre don Francisco de Cárcamo para que con su consentimiento* se hiciesen las bodas.[5] El Arzobispo dió licencia para que con 20 una sola amonestación se hiciesen. Hubo muchas fiestas en la ciudad, donde el Corregidor era muy querido de todos, y la gitana vieja se quedó en casa porque no quiso apartarse de su nieta Preciosa.

Llegaron las nuevas de todo esto a la Corte, donde 25 don Francisco de Cárcamo supo que el gitano era

---

[1] le pedía las suyas, asked for his (*hands*).   [2] romperse, to break; se rompió el secreto, the secret leaked out.   [3] salida, departure.   [4] perseguir al yerno, to prosecute the son-in-law.   [5] para que . . . se hiciesen las bodas, in order that . . . the wedding might take place.

su hijo, y Preciosa la gitanilla que él había visto y cuya hermosura había admirado tanto. Perdonó a su hijo el engaño de no haberse ido a Flandes, y se alegró mucho de que Preciosa fuese la única hija
5 de tan gran caballero y tan rico como era don Fernando de Acevedo. Se dió prisa por llegar[1] a Murcia, y dentro de veinte días ya estaba en ella. Con su llegada se renovaron los gustos,[2] se hicieron las bodas, se contaron las vidas,[3] y los poetas de la
10 ciudad hicieron versos a la sin igual[4] belleza de la Gitanilla.

Se me olvidaba decir que la enamorada Carducha descubrió a la justicia no ser verdad lo del hurto[5] de Andrés el gitano; confesó su amor y su culpa,
15 pero no se le dió castigo alguno, porque en la alegría se enterró la venganza y resucitó la clemencia.

---

[1] se dió prisa por llegar, hastened to arrive. [2] se renovaron los gustos, pleasures were resumed. [3] se contaron las vidas, they told each other their life history. [4] la sin igual, the incomparable. [5] no ser verdad lo del hurto, that her story about the theft was not true.

EJERCICIOS

Pages 1–5 (inclusive)

Make a significant statement in Spanish about each item below, dealing with the little Gypsy girl:

1. Her name (La Gitanilla se llamaba . . .). 2. Her dancing ability (Era la mejor . . .). 3. Her beauty (Era . . .). 4. Her manners (Era . . . *or* Sus modales eran . . .). 5. Her deportment (Era tan honesta que . . .). 6. The mode of living taught her by her grandmother (La abuela la . . .). 7. Her first entry into Madrid. 8. The dance accompanied by the castanets (Bailó . . . *where?* . . .). 9. What she was especially renowned for. 10. The grandmother's care over her (La abuela nunca . . .). 11. How Preciosa regarded the old Gypsy woman (La tenía . . .). 12. The old woman's method of collecting money (Pedía . . . mientras . . .). 13. What those in the circle shouted at the top of their voices. 14. The shower of coins. 15. The number of onlookers. 16. The lieutenant's proposal (El teniente quiso que . . . *use imperfect subjunctive*). 17. What Preciosa saw through the window grating (Vió muchos . . .). 18. How the gentlemen were amusing themselves (Se entretenían . . .). 19. What she asked them to give her. 20. What they did on hearing her voice (Todos se acercaron a . . .). 21. The suggestion that Preciosa go in (Si quieres . . .). 22. Preciosa's reply.

43

Make statements as before about the following:

1. The two things asked for with which to tell the fortune (La vieja pidió . . .).   2. The amount of money Doña Clara gave the fortune teller.   3. El resultado de señalar la cruz con una moneda de cobre.   4. The use of the thimble.   5. La buenaventura de la señora Teniente: (*a*) el amor de su marido (Su marido la quiere . . . *¿ mucho ?* o *¿ poco ?*); (*b*) lo de la muerte de su marido (Su marido iba a . . . y ella iba a casarse . . .); (*c*) the advice concerning the rest of the fortune.   6. La promesa de las señoras para el viernes próximo (Todas le prometieron . . .).   7. La llegada del señor Teniente.   8. The reason why he did not give them any money.   9. What usually took place at nightfall.   10. El encuentro con el joven gallardo (Vieron . . . *¿ a quién ? ¿ dónde ?*).   11. How the dashing young man was dressed (Llevaba . . .).   12. What he wanted of Preciosa and her grandmother (Quería que . . . *imperfect subjunctive*).   13. La respuesta de la vieja (Le oiremos con tal que . . . *present subjunctive*).   14. The young man's excuse for following them (Estaba tan rendido a la . . . que no podía menos de . . .).   15. The young man's description of himself: (*a*) his social standing (Era . . .); (*b*) sus padres (Era hijo . . .); (*c*) lo que quería él (Quería casarse . . .).   16. La cantidad de dinero que llevaba.   17. The impression he made on Preciosa.   18. La respuesta de Preciosa: (*a*) tocante a su pobreza y su nacimiento (Soy . . .); (*b*) tocante a su edad (Tengo . . .); (*c*) tocante a su única joya.   19. The conditions under which she will marry him: (*a*) what must precede; (*b*) what he must do (Ha de dejar . . .); (*c*) how long he must study in their schools; (*d*) what she will do then.

44

Contéstese en español:

1. Al ver a Preciosa ¿ cómo se puso Andrés ? 2. ¿ Por qué no subió también la vieja ? 3. Cómo creía ser Preciosa ? *¿ bonita ? ¿ hermosa ? ¿ fea ?* 4. ¿ Quién era don Juanico ? 5. ¿ Le reconocieron las gitanas ? 6. ¿ A dónde había de ir dentro de unos días ? 7. ¿ Qué le aconsejó Preciosa ? 8. ¿ Era mentiroso don Juan (Andrés) ? 9. ¿ Qué quería el anciano ? 10. ¿ Por qué no quería irse la vieja ? 11. ¿ En dónde tenía fijos los ojos Andrés ? 12. ¿ Qué se le cayó a Preciosa ? 13. ¿ Quién lo alzó ? 14. ¿ Sabía Preciosa el contenido del papel ? 15. ¿ Quién había escrito ese soneto ? 16. ¿ Sabía Preciosa quién lo había escrito ? 17. ¿ Qué le dijo al oído Preciosa a Andrés ? 18. ¿ Qué le hizo sobre el corazón ? 19. ¿ Quién les dió a las gitanas la moneda de oro ? 20. ¿ Sabía el padre que Andrés estaba enamorado de Preciosa ? 21. Al llegar al rancho ¿ quiénes recibieron a Andrés ? 22. ¿ Cómo le recibieron ? 23. ¿ Qué dijeron de la mula los gitanos ? 24. ¿ Qué temía Andrés ? 25. ¿ Por qué mataron a la mula ?

I. *Prepare one or more simple Spanish sentences about each item below:*

1. La mujer infiel entre los gitanos. 2. El divorcio entre ellos. 3. Las ocupaciones de los gitanos de día y de noche. 4. La opinión de Preciosa tocante a sus relaciones con Andrés. 5. La respuesta de Andrés. 6. Lo que Preciosa creía de los juramentos. 7. La envidia entre los gitanos. 8. La hija de la viuda rica. 9. Lo

que él respondió. 10. El resultado inmediato de esta respuesta. 11. El escrutinio de la maleta. 12. Las joyas. 13. El soldado y Andrés. 14. El homicida. 15. Andrés en la cárcel.

II. *Use the following idiomatic expressions in brief Spanish sentences:*

1. dar muerte a. 2. tener lugar. 3. agradar a. 4. de día. 5. de noche. 6. alegrarse de. 7. tener razón. 8. por la noche. 9. a los cuatro días. 10. tratar de. 11. al fin. 12. por sí sólo. 13. apartarse. 14. poco a poco. 15. estar a punto de. 16. alojarse en. 17. enamorarse de. 18. acercarse a. 19. darse buena vida. 20. estar comprometido a casarse. 21. casarse con.

Pages 21-25

I. *Contéstese en español:*

1. ¿ Fué presa también Preciosa ? 2. ¿ Por qué no entró ella en la cárcel ? 3. ¿ A dónde la llevaron ? 4. ¿ Cómo la recibió la Corregidora ? 5. ¿ Cuántos años tenía entonces la Gitanilla ? 6. ¿ Cómo se llamaba la hija de la Corregidora ? 7. ¿ Qué pidió Preciosa a la Corregidora ? 8. ¿ Por qué se lo pidió ? 9. ¿ Quién entró y las vió cogidas de las manos ? 10. ¿ Qué hizo Preciosa ? 11. ¿ Qué le dijo ella ? 12. ¿ Qué le contestó él ? 13. ¿ Qué dijo la vieja ? 14. ¿ A dónde fué ella ? 15. ¿ Qué llevaba debajo del brazo al volver ? 16. ¿ Abrió el cofre en aquel mismo cuarto ? 17. ¿ Qué contenía el cofre ? 18. ¿ Reconocieron las joyas el Corregidor y la Corregidora ? 19. ¿ Qué estaba escrito en el papel doblado ? 20. ¿ En qué año había desaparecido Constanza ? 21. ¿ Supo en seguida la Corregidora quién

era Preciosa ? 22. ¿ Confeso el hurto la vieja ?
23. ¿ Cómo confirmó la Corregidora que la niña era su
hija ? 24. ¿ Perdonaron a la vieja ?

II. *Use the following idiomatic expressions in simple
Spanish sentences:*

1. ir preso. 2. tener (tantos) años. 3. no tener culpa.
4. darse prisa. 5. tener piedad de. 6. cogidos de las
manos. 7. ponerse de rodillas. 8. caer en la cuenta.
9. caer desmayado. 10. volver en sí. 11. salir cor•
riendo.

Pages 26–30

Turn the following dialogue into Spanish:

En casa del Corregidor

EL CORREGIDOR. — Are you fond of John, daughter ?
PRECIOSA. — I am grateful to him for having humbled
himself to be a Gypsy for me, but I shall do as you wish.

EL C. — We'll marry you to some one worthy of you.

LA CORREGIDORA (*who understood why Preciosa sighed*).
— John is noble; he loves our daughter; it would not be
ill-advised of us to give her to him as a wife.

EL C. — No, let's enjoy her for a while. Do you want
to lose her when we have just found her ?

LA C. — You are right, sir; but please get John out of
that dungeon.

EL C. — I want to go and see him, but let no one know
this story yet.

IDIOMS USED IN THE TEXT

(Listed in order of occurrence)

vivir por sus uñas, to live by one's wits.

aprender de memoria, to learn by heart.

de allí en quince días, two weeks from that time.

la tenía por, considered her as.

Dijeron a voces. They shouted.

al anochecer, at dusk.

Contestó que sí. He answered yes.

calle adelante, up the street.

huir de las ocasiones, to flee from temptation.

¿ Quién me lo ha de enseñar? Who need teach it to me?

dar contento, to please.

éste sí que se puede decir, this can certainly be called.

¡ Qué de cosas! What a lot of things!

Poco importa. It matters little.

Se hace noche. It is getting dark.

entre todos nosotros, among all of us.

a la caída de la tarde, at nightfall.

no pude menos de, I could not help.

dos palabras, a few words.

desde luego, at once.

mudar de traje, to change clothes.

quedarse con, to keep, retain.

Buen provecho le haga. May it profit you.

nada de eso, nothing of the kind.

de aquí en adelante, from now on.

Todo resultará bien. Everything will turn out all right.

Perdió el color. He turned pale.

echar ojo a, to cast looks at.

Se ha de seguir mi consejo. My advice must be followed.

levantar el rancho, to break camp.

enamorarse de, to fall in love with.

Verás qué vida nos damos. You will see what a life we'll have together.

Se le iba la mitad de su alma. Half of her life was being taken away from her.

para llevar a cabo, in order to carry out.

dar voces, to shout.

hacer alto, to halt.

no acababa de comprender, did not fully understand.

cogido con el hurto en las manos, caught red-handed.

Estoy por darle una bofetada. I am inclined to give him a good slap.

Dejó de defenderse. Ceased to defend himself.

No tiene culpa. He is not (*at all*) to blame.

cayó en la cuenta, understood, caught on.

traía puestos, was wearing.

acabar con, to make short work of.

mirar con buenos ojos, to look upon with favor.

48

VOCABULARY

With the exception of obvious cognates, such as *piano, conversación, acento* etc., this vocabulary contains not only the basic words used in the text but all derived forms as well, entered according to the following system: 1) irregular verb forms used in the text are listed under the third person singular if the whole tense is irregular, otherwise under the separate irregular form; 2) present subjunctive forms are listed only when not based on the first person singular of the present indicative; 3) imperfect subjunctives and conditional forms are not listed, except when occurring in listed idioms; 4) adverbs ending in *–mente* are not listed when the corresponding adjectives are used; 5) adjectives ending in *–ado* are omitted (unless they have a special meaning) if the corresponding verb is listed. Idioms are listed under the noun if the expression contains a noun, otherwise under the word around which the difficulty seems to center. Masculine nouns are designated by *m.* and feminine nouns by *f.* Adjectives ending in *–a* are followed by the feminine ending *–a*.

The total word count is as follows: 1377 root-words; 294 derivatives (forms of irregular verbs, diminutives, etc); and 21 proper names. The loss of 20 root-words in this combined volume as compared with the sum of the root-words in the five separate booklets is due to: 1) the elimination of some half-dozen perfectly obvious cognates: *compañía, consecuencia, lamentación,* etc.; 2) the fact that some words necessarily considered root-words when used alone in the separate booklets become derivatives when the vocabularies are combined. The 294 derivatives mentioned above exclude duplications in the separate booklets.

A

a to, into; **al** to the, on

abajo down

abanico *m.* fan; **abanico de plumas** feather fan

abierto *see* abrir

abrazar to embrace; accept

abrazo *m.* embrace, hug; **dar un abrazo** to hug

abrir to open; **abierto** open(ed)

abuela *f.* grandmother

acabar to end, finish; **acaba de** has just; **acababa de** had just; **acabar con** put an end to

acaso perhaps, by chance

aceite *m.* oil

aceptar to accept

acerca de concerning

acercarse (a) to approach, draw near

acompañar to accompany

1

aconsejar to advise
acontecimiento *m.* event, happening
acordar(se) to remember; **no me acuerdo** I do not remember
acostar to put to bed; **acostarse** go to bed; **se ha acostado** has lain down; **se acuestan** they go to bed; **para que te acuestes** so that you may go to bed
acostumbrar to accustom
acuerdo *m.* agreement; *see also* **acordar**; **quedamos de acuerdo** we are agreed
adelante ahead, forward; **de aquí en adelante** from now on, henceforth; **más adelante** farther on
además besides; **además de ser** besides being
adiós goodbye; **sin decirles adiós** without bidding them good-bye
adivinar to foretell, divine
admiración *f.* astonishment
admirar to admire; **admirarse de** be astonished at
adonde [a + donde] to where, to which; **adónde** where to
adornado, –a decorated, adorned
adorno *m.* adornment
agosto *m.* August
agradable agreeable, pleasing
agradar to please
agradecido, –a grateful
agradecimiento *m.* gratitude
agua *f.* (*but* el agua) water; **agua de mayo** May rain(s)
aguardar to wait for, await
aguardiente *m.* brandy, liquor
agudo, –a keen, clever-witted
ahí there (*near the person addressed*)

ahora now
ahorcar to hang (*on the gallows*)
aire *m.* air
ajeno, –a another's; **lo ajeno** what belongs to another
al *see* a
Alá Allah (*the one supreme God according to the Mohammedans*)
alabanza *f.* praise, eulogy
alabar to praise
albañil *m.* mason, bricklayer
Albión *figurative name for Great Britain*
alcalde *m.* mayor
alcanzar to merit, obtain; overtake
aldea *f.* village, hamlet
aldeana *f.* small-town girl
alegar to allege
alegrarse (de) to be glad (of); **se alegró** he rejoiced
alegre merry, joyous, gay; **alegremente** joyfully
alegría *f.* joy
alejarse to draw aside, move away
alemán, –ana German
alfiler *m.* pin
algo something; *adv.* somewhat
alguien someone, somebody
algún (**alguno**), –a some, some one
alma *f.* (*but* el alma) soul; heart, mind; **alma enamorada** soul in love
alojarse to take lodgings
Alpujarras *region in southern Spain*
alquiler *m.* rent; **una mula de alquiler** a hired mule
alrededor (de) around
alternativamente alternatively

2

alto, –a high, tall; loud; **hicieron alto** halted

alumbrado, –a lighted

alzar to raise, lift

allí there

amablemente kindly, graciously

amada *f.* sweetheart, beloved

amado, –a beloved

amador *m.* lover

amante *m. or f.* lover, beloved

amar to love

amargo, –a bitter

amarillo, –a yellow

ambos, –as both

amenazar to threaten

ameno, –a agreeable, pleasing

amigo *m.*, **amiga** *f.* friend; **amigos míos** my friends; **amiguito** dear little friend; **nos hicimos amigos** we became friends

amistad *f.* friendship

amonestación *f.* marriage ban

amor *m.* love

anciano, –a old; **el anciano** the old man

ancho, –a wide, of great range

andar to go, travel, move about; **anda** hurry, come on

animado, –a animated

anochecer: al anochecer at nightfall

ante before, in the presence of

anterior preceding, previous

antes (de) before, formerly

antorcha *f.* torch

año *m.* year; **al año** by the year; **tiene (catorce) años** he is (fourteen) years old; **hace (muchos) años** (many) years ago

aparecer(se) to appear, show up

apartar to push aside; take off; **apartarse** draw aside; get away from

aparte aside, to one side

apellido *m.* surname

apenas barely, scarcely

apoderarse (de) to take possession (of)

apostar to bet; **apuesto I** bet

apreciar to esteem

aprender to learn; **aprendí I** learned

apretar to clasp, squeeze

aprisa fast, quickly

aprobación *f.* approval

aprobar to approve

aprovechar to profit by, make use of

apuesto *see* **apostar**

apuntar to aim, point at

apuro *m.* difficulty; worry

aquel, aquella that (*at a distance*); **aquél, aquélla** that one

aquí here

árbol *m.* tree

argumentar to argue

arma *f.* (*but* **el arma**) arm, weapon

armado, –a armed; **iba armado** was armed

arrebatar to snatch away

arreglar to arrange

arriba up; **boca arriba** face up

arriero *m.* muleteer

arrojar to hurl, throw; **arrojarse a** leap upon, pounce upon

asegurar to assure, insure

asesinar to murder

así thus, in this manner, so

asiento *m.* seat, chair; place

asomarse a to appear at, show oneself at

asombrar(se) to astonish, be astonished

asombro *m.* astonishment, amazement

3

astuto, −a cunning, sly, crafty
asustado, −a frightened
atacar to attack
atar to tie, fasten
ataúd *m.* coffin, casket
atentamente attentively, closely
atraer to attract, draw
atrás back, backward; **hacia atrás** backward
atreverse a to dare to
atrevimiento *m.* daring
atribuir to attribute
aun even; **aún** yet, still
aunque although, even though
autor *m.* author
avanzar to advance
aventura *f.* adventure
averiguación *f.* investigation, inquiry
avisar to warn, notify
aviso *m.* warning, notice
ay ouch, oh
ayer yesterday; **como ayer** as (they did) yesterday
ayuda *f.* help, assistance
ayudar to help, assist
azul blue

B

bailador, bailadora dancer
bailar to dance
bailarín, bailarina dancer; dancing
baile *m.* dance, dancing
bajar to go down, come down, get off; **baja un poco la voz** lower your voice a little; **se bajan** they get out *or* off
bajo, −a low, short (*of stature*); soft (*of voice*); *adv.* under, underneath
bala *f.* bullet, shot; **disparó dos balas** fired two shots

balcón *m.* balcony
balde: de balde gratis, free of charge
bálsamo *m.* balm, healing ointment
bandido *m.* bandit
banquero *m.* banker
bañar to bathe, wash oneself
barato *m. money given by winning gamblers to bystanders; adj.* cheap
barba *f.* chin; beard
barraca *f.* hut, tent
bastante enough, sufficient; **bastante bien** rather well
bastar to be sufficient, suffice
batalla *f.* battle
beber to drink; **les da de beber** gives them water to drink
belleza *f.* beauty
bello, −a beautiful, fine, fair
bendecir to bless; **Dios te bendiga** may God bless you
bendición *f.* blessing
bendito, −a blessed
Bermejo: el Mar Bermejo the Red Sea
besar to kiss; **se besan** they kiss each other
beso *m.* kiss
biblioteca *f.* library
bien *m.* good, benefit; **de bien** honest; *adv.* well; **no bien** *conj.* no sooner ... than
biftec *m.* (beefsteak), steak
billete *m.* ticket
blanco, −a white
bobo *m.* fool; *adj.* stupid, silly
boca *f.* mouth
bocado *m.* mouthful; **entre bocado y bocado** between mouthfuls
boda *f.* wedding (*ceremony*):

4

se hicieron las bodas the wedding took place
bodega f. cellar, storeroom
bofetada f. slap, smack
bolsa f. purse, bag, pouch
bolsillo m. pocket; purse
bondad f. kindness, goodness; tenga la bondad de please
bonito, –a pretty, dainty
borrado, –a erased
bosque m. forest, woods
botella f. bottle
brazo m. arm; de un brazo in one arm
brevemente briefly
bribón m. rascal, scoundrel
brillante shining, bright
brillar to shine, gleam
buenaventura f. fortune (as told by fortune tellers)
buen(o), –a good
burla f. joke, jest; hacer una burla to play a joke
burlarse de to make fun of
burro m. donkey
busca f. search; en busca de in search of
buscar to look for, seek

C

caballeriza f. stable
caballero m. gentleman; knight; caballerito young gentleman
caballo m. horse; andar a caballo to ride on horseback
cabaña f. cabin, hut
cabello m. hair; cabellos head of hair, locks
cabeza f. head
cabo m. end; al cabo de at the end; llevar a cabo to carry out
cada each; cada cual each one

cadáver m. corpse
cadena f. chain; cargado de cadenas bound in chains
caer to fall; caigo I fall; cayó fell; cayéndose falling; dejaron caer dropped, let fall; se le cayó let go, dropped
café m. coffee; café con leche a mixture of hot coffee and hot milk; café solo black coffee
caída f. fall
caja f. box; caja de muertos coffin
calabozo m. dungeon
calavera f. skull
calidad f. quality, rank
caliente hot, warm
calor m. heat; de mucho calor very hot; tengo mucho calor I am very warm; hace mucho calor it is very hot (weather)
callar to grow silent, keep still
calle f. street
cama f. bed
cambiar to change; cambiar de piernas get a new set of legs
cambio: en cambio on the other hand
caminar to travel
camino m. road; se puso en camino set out; camino de on the road to
camisa f. shirt
campana f. bell
campo m. country, field
canción f. song
cansar to tire; cansarse get tired; no se cansaba did not grow tired; se cansa de leer gets tired of reading
cantar to sing; m. song; cantarcillo m. carol

5

cantidad *f.* quantity

canto *m.* song, singing

capaz capable

capitanía *f.* headquarters of a captain

cara *f.* face; **le miró la cara** looked at his face; **poniendo la cara más alegre que pudo** assuming as joyous an expression as possible; **tenía la cara pálida** her face was pale

carácter *m.* character

caramba gracious ! heavens !

carcajada *f.* guffaw, loud laughter; **dieron grandes carcajadas** burst out laughing loudly

cárcel *f.* prison, jail

carcelero *m.* jailer

cargar to load

caridad *f.* charity

cariño *m.* affection, love

carne *f.* meat, flesh

caro, –a dear (*in price*)

carrera *f.* race

carta *f.* letter

casa *f.* house; **en casa** at home; **ésta es su casa** we welcome you to our home; **de casa en casa** from house to house; **casita** little house

casamiento *m.* marriage

casar to marry (off); **casarse** (**con**) get married (to)

casi almost, nearly

caso *m.* case, affair; **sin hacerle caso** without paying any attention to him; **no hizo caso de mí** paid no attention to me

castañuela *f.* castanet

castellano, –a Castilian

castigado, –a punished

castigo *m.* punishment

Castilla Castile

catedral *f.* cathedral

catorce fourteen

causa *f.* cause; lawsuit, case; **a causa de** on account of

celebrar to applaud, rejoice at; commemorate; **celebrado** renowned

celos *m. pl.* jealousy

cena *f.* supper; **acabada la cena** when the supper was finished

cenar to eat supper; **cena mucho** eats a hearty supper; **todos cenan algo** everybody eats a little; **pedir de cenar** order supper; **nos dieron de cenar** gave us supper

cerca (de) near (to); **muy de cerca** at close range; **cerquita** quite near

cercano, –a near, nearby

cerquita *see* **cerca**

cerrar to close, shut

cesar to cease, stop; **sin cesar** incessantly

cielo *m.* heaven, sky

cien(to) one hundred

cierto, –a certain, sure; **es lo cierto** it is a fact

cigarro *m.* cigarette; **cigarrillo** cigarette

cinco five

ciudad *f.* city

claro, –a clear

clase *f.* class, kind

clérigo *m.* clergyman

cobre *m.* copper

cocer to cook, boil, stew

cocina *f.* kitchen

cocinera *f.* cook

coche *m.* carriage

codicioso, –a covetous, greedy

cofre *m.* chest

coger to catch, seize, pick up; gather

cola *f.* tail

6

coleccionar to collect

coleccionista *m*. collector (*of curios*)

colegio *m*. school

cólera *f*. anger, rage

colgado, –a hanging, suspended

colina *f*. hill, knoll

colmo *m*. highest point, limit

colocación position, location

colorado, –a red, ruddy; **se puso colorado** blushed

comedor *m*. dining room

comenzar to commence, begin; **comienza** begins; **comencé** I began

comer to eat; **comerse** eat up, devour; **dar de comer** feed

comida *f*. dinner, meal

como as, like; **cómo** how

cómodo, –a comfortable

compañero *m*. companion

compasión *f*. pity; **por compasión** for pity's sake

comprar to buy

comprender to understand, comprehend

comprometido, –a engaged, compromised

con with

concierto *m*. agreement

conciudadano *m*. fellow citizen

conde *m*. count (*title*)

conducir to conduct, lead; **nos condujeron** they led us; **hice que los condujesen a** I had them taken to

confianza *f*. confidence

confuso, –a confused, perplexed

conmigo with me

conmover to move, stir up

conocer to know, meet; **conoció** knew, met; **ya le**

conozco I already know him; **se conocían** they knew each other; **nos conocemos** we know each other

conocido *m*. acquaintance

conocimiento *m*. knowledge

consejo *m*. piece of advice; **consejos** advice; **Consejo del Estado** Council of State

consentimiento *m*. consent

conservar to preserve, keep, retain; **se ha conservado perfectamente** has been kept wholly unimpaired

construir to build; **construyeron** built

consuelo *m*. consolation

contar to count; relate, tell; **cuente** tell(s)

contener to contain; restrain

contenido *m*. contents

contento *m*. pleasure; *adj*. glad

contestación *f*. answer, reply

contestar to answer, reply; **contesta que sí** answer yes

contigo with you

contra against

contrario, –a opposite; **al contrario** on the contrary

contribuir to contribute

convenir to suit, be proper *or* suitable; **lo que os convenga** what suits you; **convinieron** they agreed; **convenido** agreed upon

convertir to change, make into; **se convierten** are changed into

convidar to invite

copa *f*. wineglass, drink of liquor

copiar to copy

corazón *m*. heart

corbata *f*. necktie

corcho *m*. cork

7

corona *f.* crown

corral *m.* corral, enclosure

corregidor *m.* magistrate; corregidora magistrate's wife

corregir to correct; corrigió corrected

correo *m.* post office; mail

correr to run; vamos a correr let's run; echó a correr started to run away; salió corriendo came running out; hacerla correr make her run

corresponder to correspond; suit

cortar to cut; cortarte la cabeza cut off your head; bien cortado well-fitting

corte *f.* court; Corte Court (*refers to Madrid*)

cortés polite, courteous

cortesano *m.* courtier

cortesía *f.* courtesy; con toda cortesía with all due respect

corto, –a short, scant

cosa *f.* thing; cosa rara strange to say; qué de cosas what a lot of things; tan poca cosa such a slight thing; que las cosas pasen más adelante that matters go farther; cosita little thing

costa *f.* cost, expense

costar to cost; cueste cost(s)

costumbre *f.* custom; como de costumbre as usual

crecer to grow, increase

creer to believe; ya lo creo I should say so; creyendo believing; creyó believed

criado *m.* servant; criada *f.* maid

criar to rear, bring up

criatura *f.* creature; baby

cristiano, –a Christian; cristianamente like a Christian

crucifijo *m.* crucifix, cross

cruz *f.* cross

cruzado, –a crossed, crosswise

cuadro *m.* picture, painting

cual such as; el cual who, which; cuál which, what

cualidad *f.* quality

cualquiera any (whatsoever)

cuando, cuándo when

cuanto, –a all that; cuánto how much; cuanto antes as soon as possible; unos cuantos a few; en cuanto as soon as; cuantos all who

cuarto *m.* room; *adj.* fourth, quarter

cuatro four

cubrir to cover; cubierto covered

cuenta *f.* bill, account, dinner check; dar cuenta de to make a report on; cayó en la cuenta caught on

cuente *see* contar

cuento *m.* story, account

cuerda *f.* rope; había dado en la cuerda had struck the rope

cuerpo *m.* body, figure; bajo de cuerpo low of stature

cuestión *f.* question, problem

cueva *f.* cave

cuidado *m.* care; ten (*or* tenga Vd.*) cuidado be careful

cuidar a to take care of

culpa *f.* blame, fault; no tiene la culpa is not to blame

culpable guilty

cumplir to comply with, keep

cura *m.* priest

curar to cure, heal, treat

8

cursar to take a course (of study)

cuyo, -a whose

Ch

chico m. little boy, lad; chica f. little girl; chicos (small) children; adj. little

chispa f. spark; echar chispas to rave; echando chispas por los ojos her eyes sparkling with fury

chiste m. joke, jest

chistoso, -a witty, funny

choque m. collision

D

daga f. dagger

dama f. lady

daño m. harm, damage; hacer daño to harm

dar to give; dar a conocer make known; dar de comer feed; doy I give; dió gave; dé give(s); le dé Dios may God give you; le doy el sí I'll give my consent to

de of, from, about; del of the

debajo (de) under, underneath

deber m. duty

deber ought, must; debe de ser must be; deberán will have to; que debían salir who were to leave

decir to say, tell; digo I say; dice says; dijo, dijeron said; dirá will tell; diciendo saying; di say, tell; dime, dígame tell me; dicho said; mejor dicho rather; dicho y hecho no sooner said than done; he

dicho I have said; no digamos nada let's not say anything; dijese should say; cómo he de decir? how must I say (it)?

declaración f. deposition, statement

dedal m. thimble

dedo m. finger, toe

dejar to leave, let; dejar de cease to; no deje Vd. de do not fail to

del see de

delante (de) in front, ahead

demás: los demás the others, the rest

demasiado too, too much

demonio m. devil, demon

dentro (de) inside, within

departamento m. compartment (of a train)

derecho m. right; adj. straight, direct

desabrochar to unfasten, unbutton

desaparecer to disappear

desayunarse to eat breakfast; se desayuna pan has bread for breakfast

desayuno m. breakfast

descansar to rest

desconfiar to distrust, lack confidence in

desconocido, -a unknown

descubrimiento m. discovery

descubrir to discover, reveal; descubierto discovered

desde from, since; desde hace for (a period of time); desde que since

desdichado, -a unfortunate

desear to desire, wish

desengaño m. disillusion

deseo m. desire

deseoso, -a desirous

desesperación f. despair

desesperado, -a desperate

9

desesperar to despair
desgracia *f.* misfortune
desgraciado, –a unfortunate
deshacerse de to get rid of;
deshecho de gotten rid of
desierto *m.* wilderness, desert
desmayarse to faint, swoon;
cayó desmayado fell in a
faint
despacio slow, slowly
despachar to attend to, sell
despacho *m.* office
despedirse to take leave; se
despidió took leave
despertar(se) to awaken,
wake up
desposar to betroth
despreciar to scorn, despise
después (de) after; después
(de) que after
desventura *f.* misfortune
detener(se) to stop, halt;
me detuve I stopped
detrás (de) behind
deuda *f.* debt
devolver to return, give back
di *see* decir *and* dar
día *m.* day; todo el día all
day long; todos los días
every day; buenos días
good morning; de día by
day; hace (quince) días
(two weeks) ago; (quince)
días después (two weeks)
afterwards; de día en día
from day to day; de allí
en (ocho) días (a week)
from that day
diablo *m.* devil
diario, –a daily
dice, digo, diciendo, dicho *see*
decir
dicha *f.* happiness
diez ten
difícil difficult, hard
difunto *m.* dead man; difunta
f. dead woman

digno, –a worthy
dije, dijo, dijese *see* decir
dilatar to postpone, delay
diligencia *f.* activity, investigation
dime *see* decir
dinero *m.* money
dió, dieron *see* dar
Dios God; ¡ Dios mío ! ¡ por
Dios ! heaven's sake!
diré, dirá *see* decir
dirigirse to address; betake
oneself
discípulo *m.* disciple, pupil
discreción *f.* cleverness, pru-
dence
discreto, –a clever, sensible
discurso *m.* speech
disminuir to diminish; jeop-
ardize; disminuye dimin-
ishes
disparar to fire (a shot)
disponer to dispose; dispuso
foreordained
distinguido, –a distinguished
distinto, –a different
diverso, –a diverse, various
divertir to amuse, entertain;
divertirse have a good
time; se divirtieron mucho
were greatly amused
doblado, –a folded
doble double
doce twelve
docena *f.* dozen
dócil docile, obedient
dolor *m.* pain, sorrow
dominar to dominate, rule
domingo *m.* Sunday; los
domingos on Sunday; el
domingo por la tarde Sun-
day afternoon
don, doña *title used before the
Christian name of persons*
donde, dónde where
dormir to sleep; duerme
sleeps; se duerme goes to

10

sleep; **durmió** slept; **dormido** asleep

dos two

ducado *m.* ducat (*ancient gold coin worth about a dollar*)

duda *f.* doubt; **sin duda** doubtless

dudar to doubt

dueña *f.* chaperon, duenna

dueño *m.* owner, master

dulce sweet, gentle, pleasing

durante during

durar to last

durmió *see* **dormir**

duro *m.* dollar (*five pesetas*); *adj.* hard

E

e and

echar to throw out; **se echó a reír** burst out laughing

edad *f.* age; **años de edad** years old

educado, –a educated, trained

efecto: en efecto in fact

ejecutar to execute, carry out

ejemplo *m.* example; **por ejemplo** for instance

ejército *m.* army

el, la, los, las the; **el de** that of

él he, it; **(para) él** (for) him

elegir to choose, select; **elijo** I choose; **el elegido** the chosen one

elocuente eloquent

ella she; it; **ellos, ellas** they

embargo: sin embargo nevertheless

embustero, –a tricky, deceitful

empeñar to pawn

empeorar to grow worse

empezar to begin; **empieza** begins

empleado *m.* employé

empleo *m.* position, employment

en in, into; on, upon

enamorarse de to fall in love with

encantado, –a charmed

encerrar to lock up, enclose

encontrar to find; **encontrarse** be; **encuentra** finds; **encontrarse con** meet with; **se encuentran** are found

encuentro *m.* meeting, encounter

enemigo *m.* enemy

enfadado, –a angry, vexed

enfermedad *f.* sickness, illness

enfermo, –a sick, ill; **los enfermos** the sick

enfrente (de) in front of, facing

engañar to deceive; **no se deje engañar** do not let yourself be deceived

engaño *m.* deception, fraud

ennui (*French*) boredom

enojado, –a angry, annoyed

enorme huge, massive

enseñar to teach, show; **se enseña** is taught; **quién me lo ha de enseñar?** who would teach it to me?

entender to understand; **entiende** understands; **se entienden** they understand one another

entero, –a whole, entire

enterrar to bury

entonces then; **en aquel entonces** at that time

entrada *f.* entrance, entry

entrar to enter; **vimos entrar al (arriero)** we saw (the muleteer) go in; **que entren** let them come in

entre between, among; **por entre** among

11

entreabierto, -a half-open, parted

entregar to deliver, hand over; **entregado a** a prey to

entretanto in the meanwhile

entretener to entertain, amuse

entusiasmo *m.* enthusiasm

enviar to send

envidia *f.* envy; **la envidia anda** envy stalks

enviudar to become a widow

era, eres *see* **ser**

erizo *m.* hedgehog

es *see* **ser**

escalera *f.* stairway; **escalera abajo** downstairs

escaparse to run away, escape

escasez *f.* scarcity

escaso, -a scant, scarce

escena *f.* scene

esclavo, -a *m. or f.* slave

esconder to hide, conceal

escopeta *f.* shotgun

escribir to write; **escrito** written; **lo escrito** what is written

escritura *f.* writing, penmanship

escrutinio *m.* scrutiny

escuchar to listen (to)

escudero *m.* squire

escudo *m.* shield; *also ancient coin worth about sixty cents*

escuela *f.* school; **escuela de niñas** girls' school

ese, esa that; **ése, ésa** that one; **ésos, ésas** those

esmeralda *f.* emerald

eso that (*referring to an idea*); **a eso de** about

espada *f.* sword

espalda *f.* back, shoulder; **de espaldas** on one's back;

me volvió la espalda he turned his back on me

espantar to frighten away; **se espantaron** they got frightened

España Spain

español, -ola Spanish

esparcir to scatter

especie *f.* species, kind, sort

espectáculo *m.* spectacle, sight

espejo *m.* mirror

esperanza *f.* hope

esperar to expect, wait for, hope; **me esperaban cenando** were waiting for me at the supper table; **hace mucho que me esperan?** have you been waiting long for me?

espíritu *m.* spirit

esposa *f.* wife; **esposo** *m.* husband

establecer to establish

estación *f.* season (*of the year*); station (*of a railway*)

estado *m.* state, condition

Estados Unidos United States

estar to be (*expressing place or state*); **¿cómo está usted?** how are you? **estoy** I am; **no se está quieto** does not keep still; **estamos a** (**dos de junio**) today is (the second of June); **esté** be, is; **estábamos para salir** we were about to leave; **estuvo** was; **estoy por** I am in favor of

estatua *f.* statue

este, esta this; **éste, ésta** this, this one; **éstos, éstas** these

estilo *m.* style

12

estimar to esteem, honor; se había estimado en mucho más she had thought much more highly of herself

esto: en esto at this point

estómago *m.* stomach

estrella *f.* star

estudiante *m. or f.* student

estudiar to study

estudios *m. pl.* studies

estuvo, estuviese *see* estar

evangelio *m.* gospel; decir el evangelio to speak the gospel truth

experiencia *f.* experience, trial; haz de mí todas las experiencias submit me to all tests

experimentado, –a experienced

extranjero *m.* foreigner; *adj.* foreign

extraño, –a strange, foreign

Extremadura *Spanish province bordering on Portugal*

extremo *m.* end

F

fácil easy; fácilmente easily

faltar to lack, be lacking; no faltarán cuartos pennies will not be lacking

felicidad *f.* happiness

felicitar to congratulate

feliz happy

feo, –a ugly

fiel faithful

fiesta *f.* festival; celebrar una fiesta to commemorate an event, engage in group activities

fijarse en to notice, heed

fijo, –a fixed

fin *m.* end, purpose; por fin, al fin at last; en fin in short

fingir to pretend, sham

fino, –a fine; finísimo unusually fine, select

flaco, –a lean, thin

Flandes Flanders

flotar to float

flor *f.* flower; en la flor de su edad in the prime of his life

fondo *m.* back, rear, background

formación: a la formación fall in (line)

formidable huge, immense, tremendous

fortuna: por fortuna fortunately

frente *f.* forehead; front

fresco, –a cool; fresh

frescura *f.* coolness; frankness

frío, –a cool; tengo frío I am cold; hace (mucho) frío it is (very) cold; fríamente coolly

frontera *f.* frontier

fué, fuí, fuese *see* ir *and* ser

fuente *f.* fountain

fuera de outside of; fuera de sí beside himself

fuerte strong

fuerza *f.* force; fuerzas strength

Fulano So-and-So

fumar to smoke

fundador *m.* founder

fundar to found

G

gaceta *f.* gazette, newspaper

galán *m.* suitor, swain

galope: a galope at a gallop

gallardo, –a dashing, gallant

gallego, –a Galician

gana *f.* appetite, craving; ganas urge, desire; tene-

mos (muchas) ganas we
feel (strongly) inclined to;
nadie tiene ganas de cenar
no one feels like eating
supper; tuvo ganas de
saber took it into his head
to find out; de buena gana
willingly, gladly
ganancia *f.* profit, earnings
ganar to earn, win
garganta *f.* throat
gastar to spend
gastos *m. pl.* expenses
gato *m.* cat
genio *m.* genius
gente *f.* people
gesto *m.* grimace, facial expression
girar to revolve; al girar de
una pupila at the turn of
an eye
gitanería *f.* Gypsy trick
gitano, gitana Gypsy; gitanilla little Gypsy girl
gobernador *m.* governor
gobierno *m.* government
golpe *m.* blow, rap; dió un
golpe struck; golpecito
tap, light blow
gordo, –a fat, stout; algo
gordo somewhat stout
gota *f.* drop
gozar (de) to enjoy; gocémosla let us enjoy her
gracia *f.* charm, grace; tienes
gracia you are witty; gracias thanks; doy gracias I
thank
gran(de) large, big, great;
los grandes noblemen,
grandees; grandísimo, –a
very great
grandeza *f.* greatness; high
rank
Grecia Greece
griego, –a Greek
gritar to shout, cry out

grito *m.* shout, cry; dar
gritos to shout
guapo, –a good-looking, hand-
some; muy guapito quite
stunning
guardar to guard, keep
guerra *f.* war
guiar to guide, direct, drive
(*a car*)
gustar to like, be pleasing to;
me gusta(n) I like; nos
gusta(n) we like; le gusta(n)
he likes; has de gustar de
él you are bound to like it
(him)
gusto *m.* pleasure, joy; con
mucho gusto gladly; qué
gusto tengo de how glad I
am to; a su gusto as he
would, to his taste

H

haber to have (*used prin-
cipally as an auxiliary
verb*); he I have; he de
sacarte de aquí I must get
you out of here; ha has;
haya has, have; hube had;
si hubiese if I had; habrá
will have; aquí hemos de
vivir we are to live here;
había had; there was, there
were; yo le había de pagar
I was to pay him
hábil able, skillful, capable
habilidad *f.* ability; habilidades accomplishments
habitación *f.* room, dwelling
habitante *m.* inhabitant
hábito *m.* habit (*the attire
of a military or religious
order*)
habla *f.* (*but* el habla) speech
hablador *m.* talker
hablar to speak, talk; se
habla they speak: oyen

14

hablar de hear them speaking of

hacer to do, make; no hace más que leer does nothing but read; hago I do; hizo did; hará will do; hecho done; haz do; hice que abriesen I had them open

hacia toward

hallar to find; se halla is

hambre *f*. (*but* el hambre) hunger; tiene hambre is hungry; tengo mucha hambre I am very hungry

hasta to, until; as far as; hasta que until

hay there is (are); hay que one must, it is necessary

haya, han *see* haber

hecho *see* hacer

herencia *f*. inheritance

herido, –a wounded

hermano *m*. brother; hermana *f*. sister; hermanos brother(s) and sister(s)

hermoso, –a beautiful; hermosita charming little beauty

hermosura *f*. beauty

hice, hizo, hicieron *see* hacer

hierba *f*. grass

hierro *m*. iron

hijo *m*. son; hija *f*. daughter; hijos sons, son(s) and daughter(s); hijitos little children

historia *f*. story, history

hombre *m*. man; hombre de bien honest man; hombrecillo insignificant little man

hombro *m*. shoulder; en hombros on their shoulders

homicida *m*. murderer

honesto, –a modest, chaste

honra *f*. honor

honrado, –a honored

hora *f*. hour, time of day; a qué hora at what time; ¿qué hora es? what time is it? es hora de cenar it is time to eat supper; hace dos horas two hours ago

hoy today; hoy no not today; hoy mismo this very day

hoyo *m*. dimple; hole

hube, hubo, hubiera *see* haber

hueso *m*. bone

huevo *m*. egg

huir to flee; huye flees; huyeron fled; huyendo fleeing

humildad *f*. humility

humilde humble

humillado, –a humiliated, humbled

hurtar to steal, pilfer

hurto *m*. theft, stealing; lo del hurto that matter of the theft

huyeron *see* huir

I

iba *see* ir

ida *f*. departure; idas y vueltas comings and goings

idioma *m*. language

iglesia *f*. church

ignorar to be ignorant *or* unaware of

igual like, similar; la sin igual the unrivaled, the peerless; igualmente equally

igualar to equal, match

ilustre illustrious, celebrated

imbécil *m*. fool

imitar to imitate

impaciente impatient

impedir to prevent; impidió prevented

impetuoso, –a impulsive

importar to matter; poco

15

importa is of little importance

indicación *f.* sign, suggestion

indicar to indicate

infantil childish

infeliz unhappy

infiel unfaithful

infierno *m.* hell

infinidad: una infinidad de an endless number of

informar to inform, advise; **informarse** make inquiries

Inglaterra England

inglés, –esa English

ingrato, –a ungrateful

injuria *f.* insult, abuse

inmediatamente immediately

inmóvil motionless

interés *m.* interest

interesar to interest

interior inside, inner; **en mi interior** to *or* within myself

interrumpir to interrupt

inventar to invent

invierno *m.* winter

ir to go, travel; **voy** I am going; **va** goes; **va delante** goes ahead; **iba** was going; **iba y volvía** kept coming and going; **ve** go; **vete** go away; **vaya** go; **váyase** go away; **fué** went; **se fué** went away; **vamos** we are going, let us go; **vamos todos a cenar** let's all go and have supper; **vayámonos** let's go

J

jamás never, not . . . ever

jardín *m.* garden

jefe *m.* leader, chief

joven (*pl.* **jóvenes**) *m. & f.* young man, young woman; *adj.* young

joya *f.* jewel

juega *see* **jugar**

juego *m.* game

jueves *m.* Thursday

juez *m.* judge

jugar to play (*a game*); **juega** plays; **juegan al toro** play bullfight

juicio *m.* judgment, wisdom; **hombre de juicio** sensible man

julio July

junio June

juntarse con to join

junto near, close; **junto a** beside; **juntos** together

juramento *m.* oath

jurar to swear, vow

justamente exactly, that's it

justicia *f.* justice, court of law

L

la *def. art.* the; *pron.* her, it; **las** the, them

labio *m.* lip

lado *m.* side; **al lado de** beside

ladrón *m.* robber

lágrima *f.* tear; **os sacó las lágrimas de los ojos** wrung tears from your eyes

lamentable deplorable

lamentar to mourn, grieve over

lanza *f.* lance, spear

largo, –a long; **largamente** at great length; **a lo largo de** lengthwise of, the full length of

lástima *f.* pity

látigo *m.* whip, lash

lavar to wash; **lavarse** wash, bathe

le him, to him, to her, to you; **les** to them, to you

16

lección *f.* lesson; lección de lectura reading lesson

lector *m.* reader (*person*)

lectura *f.* reading

leche *f.* milk

leer to read; leyó read, did read

lejos far, far away; lejos uno(s) de otro(s) far from one another; a lo lejos in the distance

lengua *f.* language; tongue

leña *f.* firewood

letra *f.* handwriting; tiene mala letra writes a poor hand

levantar to lift, raise; levantarse get up; se levanta gets up

ley *f.* law

leyó *see* leer

libertador *m.* liberator

librar to free, deliver

libre free

libro *m.* book

liebre *f.* rabbit, hare

limosna *f.* alms; pedía limosna begged

limpio, –a clean

lindo, –a pretty, dainty

linterna *f.* lantern

lista *f.* list; pasar lista to call the roll

listo, –a ready

lo it, him, you; the

loco, –a crazy; se volvió loco lost his head

lograr to accomplish, succeed in

Londres London

lucha *f.* struggle

luego then, soon, a moment later; desde luego right away; luego que as soon as

lugar *m.* place, spot, space; ocupa tanto lugar takes up so much room; tuvo lugar took place

luna *f.* moon

luz (*pl.* luces) light, lamp; luces menores lesser lights; saliese a luz might come to light

Ll

llamar to call, knock; llamar la atención attract the attention; llamarse be called; cómo se llama what is his name; me llamo my name is

llegar to arrive, reach; llegué I arrived; llegó a ser became

llenar to fill

lleno, –a full; lleno de filled with

llevar to carry, take away; wear (*clothing*); el auto lleva buenas luces the car has good lights

llorar to cry, weep

M

madera *f.* wood; de madera wooden

madre *f.* mother

maestro *m.* teacher; maestra *f.* teacher

magnífico, –a splendid, wonderful

majestad *f.* majesty

majestuosamente majestically

mal *adv.* badly; *see* malo

mal *m.* harm, injury, damage

maldito, –a cursed, confounded

maleta *f.* suitcase

mal(o), –a bad, poor, wretched; los malos the wicked

17

Mancha: La Mancha *region southeast of Madrid, home of Don Quijote*

mandar to send, order; **mandé hacer otro** I ordered another one prepared; ¿qué manda usted? what do you wish?

manera *f.* manner, way; **de manera que** so that

manía *f.* whim, mania

mano *f.* hand; **en la mano** in their hands; **se dan la mano** they shake hands with one another; **dar la mano a** to shake hands with; **dándoles la mano** shaking hands with

mañana *f.* morning; **hasta mañana** see you tomorrow; **pasado mañana** day after tomorrow; *adv.* tomorrow

mar *m.* sea; **viajes de mar** sea voyage

maravilla *f.* marvel, wonder; **a las mil maravillas** perfectly

maravillado, –a astonished

maravilloso, –a wonderful

marcha: en marcha go, be off; **se puso en marcha** set out

marcharse to go away

marchitar to fade, wither

marido *m.* husband

mas but

más more

matador *m.* killer, slayer

matar to kill; **matara** would kill

Mata-Siete Seven-Killer

mayo May

mayor elder, greater

me me, to me, myself

medianoche *f.* midnight

médico *m.* doctor, physician

medio *m.* middle; **medios** means; *adj.* half; **las cuatro y media** four-thirty

mediodía *m.* noon

mejor better; **lo mejor** the best (thing); **en lo mejor de su edad** in the prime of his life

mejorar to improve

menester: es menester it is necessary

menor younger; smaller

menos less; except; **al menos** at least; **no pudo menos de** could not help but

mentira *f.* lie, falsehood

mentiroso *m.* liar; *adj.* deceitful, lying

menudo: a menudo often

merced *f.* grace; **vuestra merced** Your Honor

merecer to deserve, merit

mes *m.* month

mesa *f.* table; **poner la mesa** to set the table

meter to put in(to), insert; **meterse** get into; **nos metimos en el bosque** we plunged into the forest

mi my; **mí** me, myself

miedo *m.* fear; **tengo miedo** I am afraid; **tuvo miedo** he got frightened

miembro *m.* member

mientras (que) while

mil one thousand

milagro *m.* miracle

ministro *m.* minister; **primer ministro** prime minister

mío, –a my; **el mío** mine

mirada *f.* look, glance

mirar to look, look at

miserable *m.* wretch; **miserable de mí** wretch that I am; *adj.* wretched

miseria *f.* pittance; poverty

misericordia *f.* mercy, pity

18

mismo, -a same; self; **eso mismo** that very thing; **hoy mismo** this very day; **aquí mismo** right here

misterio *m.* mystery

misterioso, -a mysterious

mitad *f.* half

modales *m. pl.* manners

modo *m.* way, manner; **a su modo** in their own way; **de modo que** so that

moneda *f.* coin

montaña *f.* mountain

montar to mount *or* ride (a horse); **montado en** riding

monte *m.* woodland, forest

moreno *m.* brunette; *adj.* dark, swarthy

morir to die; **me muero** I am dying; **murió** died; **ha muerto** has died; **el muerto** the dead man; **los muertos** the dead; **que muera la inocente** let the poor thing die

moro, -a Moor

mosca *f.* fly

mostrar to show

mover to move; **moverse** stir; **mueve** moves

movimiento *m.* movement

mozo *m.* lad, servant

muchacho *m.* boy; **muchacha** *f.* girl; **muchachos** boys, boy(s) and girl(s)

mucho, -a much, a great deal; **muchísimo** very much

mudar to change; **mudar de ropa** change clothing

muebles *m. pl.* furniture

muero, muere, muerto *see* **morir**

muerte *f.* death; **le dieron muerte** they slew him

mujer *f.* woman, wife

mundo *m.* world; **todo el mundo** everybody

Murcia *a province in southeastern Spain*

murió *see* **morir**

mutuo, -a mutual

muy very

N

nabo *m.* turnip

nacer to be born; **nací** I was born

nacimiento *m.* birth

nada nothing; not . . . anything

nadar to swim

nadie no one, nobody

nariz *f.* nose

necesidad *f.* need, necessity

necesitar to need

necio, -a senseless, foolish

negar to deny; **niega, niegue** denies

negocio *m.* business deal; **negocios** business

negro, -a black; **lo más negro** the most distressing feature

Nerón Nero

nervioso, -a nervous

ni nor; **ni . . . ni** neither . . . nor

niega, niegue *see* **negar**

nieto *m.* grandson; **nieta** *f.* granddaughter

ningún, ninguno, -a no, none; no one

niño, niña child

no no, not

nobleza *f.* nobility

noche *f.* night; **esta noche** tonight; **de noche** at night; **en toda la noche** all night long; **es de noche** it is after dark; **buenas noches** good night; **se hace noche** it is getting dark

nombre *m.* name
norte north
nos us, ourselves
nosotros, –as we; **(para) nosotros** (for) us
noticia *f.* news
novedad *f.* piece of news; ¿ **hay novedad?** has anything happened?
novio *m.* groom, sweetheart; **novia** *f.* bride, sweetheart
nuestro, –a our; **el nuestro** ours; **de los nuestros** of our men
nueva *f.* piece of news, tidings
nuevo, –a new; **de nuevo** again; **el nuevo** the new man; **nuevamente** anew, again
nunca never

O

o or
obedecer to obey
objeto *m.* object
obligar to oblige, compel; **me vi obligado** I was obliged
obra *f.* work, deed; **obras suyas** works of his
observar to observe; **se observan** are noticed
ocasión *f.* occasion, opportunity; **huir de las ocasiones** to flee from temptation
octavo, –a eighth
ocultar to hide, conceal
ocupar to occupy; **ocuparse de** be busy with; **ocupado** busy
ocurrir to occur
ocho eight
oficio *m.* trade, occupation
ofrecer to offer
oído(s) ear(s), knowledge; **dijo al oído** whispered

oír to hear; **oye** hears; **se oye** is heard; **oiga** listen; **oyendo** hearing; **oyó** heard
ojalá God grant that, would to God that
ojo *m.* eye; **mirar con buenos ojos** to look upon with favor
olvidar to forget; **olvidarse de** forget
oponer to oppose; **oponerse a** be opposed to
orden *f.* order, command; *m.* order, system
oreja *f.* ear
orgullo *m.* pride
orgulloso, –a proud
oro *m.* gold; **de oro** golden
os (*used only as familiar object plural*) you
oscuro, –a (*also* **obscuro**) dark
otro, –a other, another
oye, oyó, oyendo *see* oír
oyente *m.* hearer, listener

P

paciente *m.* patient
padre *m.* father; **padres** parents; **pero su padre sí** but his father does
pagar to pay, pay for; **pagarle a usted el viaje** pay your expenses
página *f.* page
país *m.* country, nation
palabra *f.* word; **tomó la palabra** took the floor
pálido, –a pale
palo *m.* stick, club
pan *m.* bread
paño *m.* cloth
pañuelo *m.* handkerchief
papa *m.* pope; **papá** papa
papel *m.* paper; **hice mi papel** I played my part
para for, in order to; **para**

20

que in order that; **para con** él toward him (*said of a state of mind*)

paraguas *m.* umbrella

parar(se) to stop

parecer to seem, appear; **se parece** resembles; **parezcan** they appear

pariente *m.* relative

parte *f.* part; **en todas partes** everywhere; **de mi parte** in my name; **otra parte** elsewhere; **en ninguna parte** nowhere

particular private

partida *f.* departure

partir to leave, depart

pasar to pass, spend (*time*); go in; happen; **pase usted** go in; ¿ **qué te pasa?** what is the matter with you? **pasarán** they will spend; ¿ **qué puede pasar?** what can happen? **pasaba por** was considered as

Pascua de Flores Easter Sunday

pasearse to stroll about, walk around

paseo *m.* walk, ride; **un paseo a pie** a walk; **dar un paseo** to take a walk

paso *m.* step, pace; **dando dos pasos** taking two steps

patada *f.* stamp of the foot

patio *m.* patio, open inner court

patrona *f.* patroness

paz *f.* peace

pecado *m.* sin

pecho *m.* breast, chest; heart

pedante *m.* schoolmaster

pedazo *m.* piece, bit

pedir to ask, ask for; **pide** asks; **pidió** asked; **se pide prestado** one borrows

pelear to fight

peligro *m.* danger

peligroso, -a dangerous

pensamiento *m.* thought

pensar to think; intend; **pensamos ir** we intend to go; **pensaba salir** intended to leave; **piensa** thinks

peor worse; **el peor** the worst; **lo peor de todo** the worst part of it all

pequeño, -a small, little

perder to lose; **pierde** loses; **te perderías** you would go astray

pérdida *f.* loss

perdón *m.* pardon

perdonar to pardon, forgive

pereza *f.* laziness; **grandísima pereza** unwonted laziness

perezoso, -a lazy, idle

perfectamente perfectly, quite all right

perfumar to perfume

periódico *m.* newspaper

perla *f.* pearl

pero but

perro *m.* dog

perseguir to pursue, persecute

personaje *m.* personage, character

pertenecer to belong

pesado, -a heavy, burdensome

pesar to grieve; **a pesar de** in spite of; **cuanto me pesa** how much it grieves me

peseta *f. a Spanish coin worth at par about twenty cents*

peso *m.* weight, burden

pido, pidió, pidiese *see* **pedir**

pie *m.* foot; **de pie** standing; **a pie** on foot; **andar a pie** to walk; **volvió pies atrás** retraced his steps; **al pie de la letra** to the letter

21

piedad *f.* pity, mercy
piedra *f.* stone
piensa *see* **pensar**
pierna *f.* leg; **cambiar de piernas** to get a new pair of legs
pieza *f.* piece; room
pintar to paint
pintor *m.* painter
pintura *f.* painting, picture
pirámide *f.* pyramid
piso *m.* story, floor
pizarra *f.* blackboard
placer *m.* pleasure
plata *f.* silver
playa *f.* beach
plaza *f.* plaza, public square
pluma *f.* feather; pen
pobre poor; **el pobre** the poor man; **los pobres** the poor
pobreza *f.* poverty
poco, –a little; **pocos** few; **un poco de** a little; **poco a poco** little by little; **poquito** little bit
poder to be able, can, may; **puede** can; **no pude** I could not; **no pudiendo** not being able; **podrás** you will be able; **no he podido menos** I could not help; **hasta más no poder** to the utmost
pollo *m.* chicken
poner to put, place; **pongo** I put; **puso** put, did put; **pondrá** will put; **se ha puesto** has become; **se pusieron de buen humor** they grew lively; **se puso de pie** stood up; **cada cual se pone** each one puts on
poquito *see* **poco**
por through, by; on account of; **por eso** for that reason; **por qué** why

porque because
portamonedas *m.* purse, pocketbook
portero *m.* gatekeeper, doorman
posada *f.* inn
poseer to possess; **poseído de** a prey to, possessed of
práctico, –a practical
preferir to prefer; **prefiere** prefers
pregunta *f.* question; **me hacían mil preguntas** they asked me endless questions
preguntar to question, ask
prenda: **en prenda** as a pledge
prender to arrest; **me hizo prender** had me arrested; **preso** caught
presentar to present, introduce
preso, –a caught, captured
primavera *f.* spring (*season*)
primer(o), –a first
principio *m.* beginning; **al principio** at first
prisa *f.* hurry; **tengo prisa** I am in a hurry; **a toda prisa** as fast as possible; **se dieron mucha prisa** they made great haste
privación *f.* want, privation
probar to prove, try, test
procurar to try, endeavor
profundo, –a deep; **profundamente** soundly
promesa *f.* promise
prometedor, –ora given to making promises
prometer to promise
prontitud *f.* promptness
pronto soon, quickly; **de pronto** right away; **prontamente** promptly
propio, –a own
proponer to propose; **propu-**

22

síeron they proposed; **pro-
puso** decreed
próspero, –a auspicious, favorable, promising
provecho *m.* benefit, profit;
buen provecho le haga
may it profit you, may you
relish it
provisto de supplied with
próximo, –a next, following
proyecto *m.* plan, project
prueba *f.* proof, test, evidence
publicar to publish
pueblo *m.* town; people
puede, pudo *see* **poder**
puerta *f.* door
puerto *m.* port
pues well, then; for
puesto (*from* **poner**) put;
puesto que since
punta *f.* point, tip
punto *m.* point; **en punto** on
the dot; **al punto** immediately; **estuvo a punto de**
was about to
puso, pusiera *see* **poner**

Q

que as, than; who, that,
which, whom; **en los que**
in which; **lo que** what; **qué**
what, which
quedar to remain, be left;
quedarse remain; **yo me
quedo aquí descansando** I'll
stay here and rest; **quedándome con** keeping
quejarse to complain
quemar to burn
querer to want, wish, love;
quiere wants; **quiso**
wanted; **quisiera** I should
like
quien who, whom, he who;
quién who

quince fifteen
quitar to take off; **se quitan
el sombrero** they take off
their hats

R

rancho *m.* Gypsy camp;
levantaron el rancho broke
camp
rato *m.* while, moment; **al
poco rato** in a little while;
gran rato long while; **de
allí a poco rato** within a
short time
raya *f.* line; wrinkle
razón *f.* reason; **tiene razón**
is right
razonable reasonable
real *m. a Spanish coin worth
at par about five cents; adj.*
royal
receta *f.* prescription
recibir to receive
recíprocamente reciprocally
recoger to collect, gather together
recompensar to compensate
reconocer to recognize
recordar to recall; **recuerdo**
I recall
recuerdo *m.* remembrance
regalar to give (*as a gift*)
regalo *m.* gift, present
registrar to search, examine
regla *f.* rule, procedure; **en
regla** in due form, ac-
cepted
reír(se) to laugh; **se ríe**
laughs; **se rió** laughed;
riéndose de mí laughing
at me
reja *f.* grating, railing
religioso *m.* monk, religious
reloj *m.* watch
remedio *m.* remedy; **no hay**

remedio it cannot be helped
rendido, –a overcome, captivated
renovar to renew, resume
renunciar to renounce, give up
reparar to repair
repartir to distribute, divide
repente: de repente suddenly
repetir to repeat; **repite** repeats
replicar to reply
requiebro *m.* compliment, flattering remark
resolución *f.* determination
resolver to solve, decide
respeto *m.* respect
respetuosamente respectfully
respirar to breathe
resplandecer to shine, glitter
responder to answer, reply
respuesta *f.* answer, reply
resucitar to revive, resurrect
resultado *m.* result, outcome
resultar to result, turn out
retirarse to withdraw, go away
retrato *m.* picture, portrait
reunión *f.* assembly, gathering
reunir to gather, collect; **reunirse** meet together; **reunido** assembled
revelar to reveal
reverencia *f.* bow
rey *m.* king
rico, –a rich, sumptuous; **el rico** the rich man; **ricamente** richly
rincón *m.* corner, nook
ríe, rió *see* **reír**
río *m.* river
riqueza *f.* riches
risa *f.* laughter
risueño, –a smiling

robar to rob, steal
robo *m.* robbery
rodear to surround; **rodeado de** surrounded by
rodilla *f.* knee; **poniéndose de rodillas** kneeling
rogar to request, beg; **os ruego** I beg of you
rojo, –a red
romance *m.* ballad
romper to break, crash; **rompió el secreto** the secret leaked out
ropa *f.* clothing, garments
rostro *m.* face
rubio, –a blond, fair
rueda *f.* wheel
ruego *m.* pleading
ruido *m.* noise
rumor *m.* noise, murmur

S

sábado *m.* Saturday; **los sábados** on Saturday; **todos los sábados** every Saturday
saber to know, know how; **sé** I know; **supo** found out; **sepa** know(s); **sabrá** will know; **se supo** became known
sabiduría *f.* wisdom
sabio *m.* scholar, sage, wise man
sacar to take out; **saqué** I took out
sacerdote *m.* priest
salida *f.* departure, leaving
salir to go out, leave; **salen de la escuela** they get out of school; **salgo** I leave; **saldrás** you will leave; **antes de salir el sol** before sunrise
salón *m.* reception room, hall
salud *f.* health; **bien de salud**

24

in good health; ¿ cómo
están de salud? how is
their health?

saludar to greet, speak to

saludo m. greeting

salvar to save

sangre f. blood

Santiago Saint James; ca-
ballero del hábito de Santiago knight of the order of
Saint James

satisfecho, –a satisfied

se himself, herself, yourself,
themselves, each other, one
another

sé see saber

sea see ser

seco, –a dry, thin

sed f. thirst; tengo sed I am
thirsty

seguida: en seguida imme-
diately

seguir to follow; siguió followed; sigamos leyendo
let's keep on reading; siguiese should follow

según according to

segundo, –a second

seguridad f. surety, safety

seguro, –a sure, certain

seis six

sello m. stamp; sellos de
correo postage stamps

semana f. week

semejante similar, like; otro
semejante another like it

sencillo, –a simple

sentado, –a seated, sitting
down

sentar to seat; sentarse sit
down; se sientan they sit
down; vamos a sentarnos
aquí let's sit down here

sentido m. sense; sin sentido
unconscious; perder el
sentido to lose consciousness

sentimiento m. sentiment,
feeling, grief, sorrow

sentir to regret; sentirse
feel; me siento I feel;
sintió regretted, felt

seña f. sign; señas description

señal f. sign, mark, indication

señalar to point out; el
señalar la cruz mark the
cross

señor Mr., sir; señora Mrs.,
madam; señorita Miss,
young lady

sepa see saber

separar to separate

sepultura f. grave

ser to be; soy I am; es is;
eres you are; son they are;
era was; fué was; sea
be, is; que fuese luego that
it should be soon; ¿ qué
será de nosotros? what
will become of us? soy yo
it is I; éste era once upon
a time there was; así sea
so be it

servir to serve; sirven they
serve; sirvió served

si if, whether; sí yes, indeed; para sí to himself

siempre always

sientan see sentar

siesta f. afternoon nap;
duerme la siesta takes an
afternoon nap

siete seven

siglo m. century

significar to mean

signo m. sign, motion

sigo, siguió see seguir

siguiente following

sílaba f. syllable

silencioso, –a silent

silla f. chair

simple m. simpleton

sin without; sin que without

25

sintió *see* sentir
siquiera even, at least
sirve, sirvió *see* servir
sitio *m.* spot, place, site
sobre over, on, upon; **sobre todo** especially
sobrino *m.* nephew
sol *m.* sun, sunshine; **de mucho sol** very sunny; **donde no hay sol** where it is shady; **tomar el sol to** get out into the sunshine; **con sol** sunshiny
soldado *m.* soldier
soler to be accustomed to; **suelen** are accustomed
solo, –a alone; **sólo** only; **tan solo** merely; **a solas** all alone
soltar to let go, release
sombra *f.* shade, shadow
sombrero *m.* hat; **sombrerillo** little hat
sombrío, –a gloomy
somos, son *see* ser
sonar to ring, sound; **suena** sounds
sonreír to smile; **sonrió** smiled
sonrisa *f.* smile
soñar to dream; **ya no soñaba** she was no longer dreaming
sopa *f.* soup
sorpresa *f.* surprise
sorprender to surprise
sospecha *f.* suspicion
sospechar to suspect
su his, her, your, their
suave soft, gentle; **suavemente** softly
subir to go up; come up; get into; get into and out of
subterráneo *m.* underground cave; *adj.* underground
suceder to happen

sucio, –a dirty
suele *see* soler
suelo *m.* ground, floor
suena *see* sonar
sueño *m.* sleep, dream; **todos tienen sueño** all are sleepy
suerte *f.* luck, fortune, fate
sufrir to suffer
sujeto, –a subject
sumo, –a great, supreme
supo, supiera *see* saber
supuesto: **por supuesto** of course
surco *m.* furrow
suspirar to sigh
susto *m.* fright, scare
suyo his, her(s), your(s), their(s); **a los suyos** to his men

T

tal such; **con tal que** provided; **¿ qué tal ?** how goes it? **el tal** the said
talle *m.* figure, form, build
también also
tampoco neither
tan so, as
tanto, –a so much, as much; **en tanto que** while
tardar en to delay, be late in; **no tardó en volver** was not long in returning
tarde *f.* afternoon; **buenas tardes** good afternoon; *adv.* late; **ya es tarde** it is already late; **más tarde** later
te (*used only as object of a verb in familiar style*) you, yourself
teatro *m.* theater, show
temblar to tremble
temer to fear; **temía ser descubierto** he feared he would be discovered

26

temor *m*. fear

templo *m*. shrine, church

temprano early; **temprano y con sol** bright and early

tendido, –a stretched out, reclining

tener to have; **tener que** have to; **tengo** I have; **tiene** has; **tuvo** had; **tendrá** will have; **ten** (*or* **tenga**) **cuidado** be careful; **aquí tiene usted** here is; ¿ **qué tienen ustedes?** what is the matter with you? **la tenía por** took her for

teniente *m*. lieutenant; **la señora teniente** the lieutenant's wife

tercer(o), –a third

terminar to end, terminate

término: **sin término** endlessly

Terranova Newfoundland

tesoro *m*. treasure

tiempo *m*. time, weather; **muy a tiempo** well on time

tierno, –a tender, youthful

tierra *f*. earth; land; region; **bajo tierra** under ground

tío *m*. uncle; **tía** *f*. aunt

tocar to touch; play; **se tocaba la camisa** kept touching his shirt

todavía yet, still

todo, –a all, everything; **todo lo que** all that; **sobre todo** especially; **de todo un poco** a little of everything

tomar to take, eat; **toman café** they drink coffee; **se lo tomó a** took it away from him

tono *m*. tone

tonto, –a dull, stupid, foolish; **un tonto** a fool

tormento *m*. torture

toro *m*. bull; **jugar al toro** to play bullfight

tortilla *f*. omelette

trabajar to work

trabajo *m*. work; **trabajito** little piece of work

traer to bring, lead; **traigo** I bring; **trajo** brought; **trayendo** bringing

traición *f*. treachery

traidor *m*. traitor

traje *m*. suit; **mudar de traje** to change clothes

trajo *see* traer

trampa *f*. trap, trapdoor

tranquilamente peacefully, calmly

tras (de) behind

tratar to treat, consider; **tratar de** try to

trato *m*. deal, trade

trece thirteen

tres three

triste sad; scant

tristeza *f*. sadness

tropa *f*. troop

trucha *f*. trout

tú (*used only as subject in familiar discourse*) you; **tu** your

turista *m*. tourist

tuyo (*familiar*) your, yours; **soy de los tuyos** I am one of you

U

uf ugh (*sign of repugnance*)

último, –a last, final; **por último** finally

un, una a, an

único, –a only; **lo único** the only thing

unir to unite, join; **unido** united, joined

universidad *f*. university

uno, una one

uña *f.* fingernail, claw; **vivir por sus uñas** live by her wits

usted you

útil useful

utilidad *f.* profit, utility

V

va *see* **ir**

vacío, –a empty, empty-handed

vagón *m.* coach (*of a train*)

valer to be worth; **lo que valga** what it may be worth

valiente brave, daring

valor *m.* worth; courage

valle *m.* valley

vamos, vámonos *see* **ir**

vanidad *f.* vanity

variado, –a varied

varios, –as various

vaso *m.* glass (*for drinking*)

vaya, váyase *see* **ir**

ve, vete *see* **ir**

vecino *m.* neighbor

vejez *f.* old age

vender to sell; **no se vende** is not for sale

venganza *f.* vengeance

venida *f.* arrival

venir to come; **vengo** I come; **vengan** let them come; **vino, vinieron** came; **vendrá** will come; **ven, vente** come

ventana *f.* window; **ventanilla** little window

ver to see; **lo veía** I would look at it; **veo** I see; **visto** seen; **a ver** let's see

verano *m.* summer

verdad *f.* truth; **no es verdad** it is not true

verdadero, –a real, true; truthful

verde green

verdugo *m.* hangman, executioner

vergüenza *f.* shame

vestido *m.* clothes; *adj.* dressed

vestir to dress; **visten de** are dressed in; **vistiendo** dressing; **vistió** dressed; **vistiéndome** dressing (myself)

vete *see* **ir**

vez (*pl.* **veces**) time; **otra vez** again; **alguna vez** ever; **algunas veces** sometimes; **de vez en cuando** from time to time; **repetidas veces** repeatedly; **en vez de** instead of

viajar to travel

viaje *m.* trip, journey; **de viaje** traveling; **lo del viaje** that matter of the trip

vicario *m.* vicar; **haré que el vicario lo dé** I'll have the vicar give it

vida *f.* life; **por vida de quien soy** by all that I hold dear; **¡qué vida nos damos!** what a life we'll have together! **se contaron las vidas** they told each other their life history

viejo, –a old; **el viejo** the old man; **un viejo** an old man

viene *see* **venir**

viento *m.* wind

viernes *m.* Friday

vine, vino, vinieron *see* **venir**

vino *m.* wine; **algo de vino** a little wine

virtud *f.* virtue, good quality

visita *f.* visit; **hacer una visita** to pay a visit

viste, vistiendo *see* **vestir**

visto *see* **ver**

viuda *f.* widow

vivir to live; **¡viva!** hurrah

28

vivo, –a alive; **un vivo** a living person

vocación *f.* vocation, calling

vocecita *see* **voz**

voluntad *f.* will, desire

volver to return; **vuelve** returns; **no volverás a ver** you will not see again; **se ha vuelto loco** has gone crazy; **volvió en sí** came to herself

vos *antiquated pron.* you, ye

voy *see* **ir**

voz *f.* voice; **vocecita** little voice; **en voz baja** in a low voice, softly; **en voz alta** aloud, out loud

vuelta *f.* turn, return; **dar vueltas** to walk about, turn around and around; **voy de vuelta** I am on my way back

vuestro, –a (*familiar pl.*) your; **vuestra majestad** your majesty

Y

y and

ya already, now; **ya no** no longer

yerno *m.* son-in-law

yo I

Z

zapatero *m.* shoemaker; **zapatera** shoemaker's wife

zapato *m.* shoe; **se quitó los zapatos** took off his shoes

29